4.00

TROUSSE DE
Scrapbooking

Des idées inspirantes pour préserver photos préférées et souvenirs précieux

Trousse de Scrapbooking

Des idées inspirantes pour préserver photos préférées et souvenirs précieux

PAULA WOODS

© The Ivy Press Limited, 2006
Paru sous le titre original : *Our Family Scrapbook*

LES PUBLICATIONS MODUS VIVENDI
55, rue Jean-Talon Ouest, 2e étage
Montréal (Québec)
Canada
H2R 2W8

Design de la couverture : Émilie Houle
Infographie : Modus Vivendi
Traduction : Claudine Azoulay
Directeur artistique : Peter Bridgewater
Designer : Clare Barber

Dépôt légal : Bibliothèque et Archives nationales du Québec, 2006
Dépôt légal : Bibliothèque et Archives Canada, 2006

ISBN 13: 978-2-89523-518-7

Nous reconnaissons l'aide financière du gouvernement du Canada
par l'entremise du Programme d'aide au développement de l'industrie
de l'édition (PADIÉ) pour nos activités d'édition.

Gouvernement du Québec - Programme de crédit d'impôt pour
l'édition de livres - Gestion SODEC

Table des matières

introduction	6
matériel	8
techniques	10
assembler une page	12

associer ancien et nouveau	14
simuler les vieilles photos	16
préserver le passé	18
portrait d'un ancêtre	20
créer un arbre généalogique	22
illustrer un arbre généalogique	24
rechercher ses racines	26

un nouveau-né	28
nommer un bébé	30
passage à l'âge adulte	32
mariages	34
anniversaires	36
fêtes spéciales	38
fêtes religieuses	40

la famille	42
maison et jardin	44
premières fois	46
scolarité	48
effets spéciaux	50
voyages	52
vacances	54
loisirs	56
animaux	58
plein air	60
fournisseurs	62
index	63
remerciements	64

introduction

À une époque où tout va très vite, où règnent technologies numériques et innombrables chaînes de télévision, le simple fait de s'installer pour feuilleter un album photos conventionnel procure un sentiment de réconfort et de détente. Nous nous permettons ainsi – ne serait-ce que l'espace d'un après-midi – de nous isoler du monde, de suspendre la course du temps, tout en revivant des expériences et des émotions auxquelles seule la magie d'une photographie redonne vie.

La réalisation d'un album souvenir digne de fierté requiert très peu de matériel et un savoir-faire artistique minimal. Des ciseaux, de la colle, quelques éléments décoratifs et un peu d'imagination, et vous voilà outillé pour réunir vos photos et vos souvenirs, qu'ils soient anciens ou récents, en un album complet et esthétique qui fera la joie de toute la famille.

Pour vous aider dans votre démarche, ce livre regorge d'idées, de suggestions et de projets expliqués pas à pas, qui vous permettront d'organiser et de présenter vos photos ainsi que vos précieux souvenirs. Divisé en trois parties – le passé revit, occasions spéciales et la vie au quotidien – l'ouvrage est d'une lecture facile et fournit des propositions de mise en page, des conseils professionnels sur le recadrage et le regroupement des photos, des suggestions artistiques quant à la disposition des souvenirs, ainsi que des techniques d'encadrement et de montage. Il comprend également des suggestions de pages thématiques : biographies, arbres généalogiques, fêtes, vie quotidienne et vacances, ô combien importantes. En outre, l'ouvrage comporte des conseils utiles sur la préservation et la réparation des photographies, et certains renseignements intéressants sur l'utilisation d'outils informatiques, destinés à mettre en valeur les photos et leur présentation.

Ceux qui se sentent un peu plus audacieux et désirent faire des expériences artistiques trouveront un certain nombre de suggestions destinées à élargir leur savoir-faire et à les encourager à créer des montages personnalisés plus élaborés. Ils pourraient essayer une idée simple et rapide consistant à donner à un portrait un style pop art ou raconter une métamorphose (telle qu'on en voit dans les magazines de luxe), ou encore, tenter de teindre ou de colorer leurs photos pour obtenir des effets uniques.

Que vous choisissiez d'adopter la plupart des suggestions de présentation proposées, de n'en expérimenter que quelques-unes ou de vous en servir comme tremplin à votre imagination, cet ouvrage a pour but de vous montrer tout le plaisir et toute la satisfaction que peut apporter le simple geste de coucher vos souvenirs sur papier. Il vous donnera les moyens et le courage de transformer un album de photos de famille bien ordinaire en un album souvenir captivant et absolument unique pour vous et vos proches.

Alors, triez vos photos, allez dénicher les souvenirs que vous aviez conservés dans un coin, prenez des ciseaux et lancez-vous dans la préservation de souvenirs merveilleux dont vous, vos enfants et vos petits-enfants pourront profiter pendant des années.

matériel

Tous les accessoires requis pour réaliser les projets inclus dans cet ouvrage sont faciles à se procurer; peut-être même les avez-vous déjà pour la plupart. Si l'on souhaite obtenir une finition vraiment professionnelle, il est conseillé de se pourvoir des outils et du matériel adéquats car ils garantiront une apparence soignée à chacune des pages de l'album.

ADHÉSIFS

Pour fixer des pièces de tissu, telles qu'un bout de robe de baptême, ou pour réaliser des bordures à l'aide d'un ruban, servez-vous d'une colle spéciale tissu (en vente dans les boutiques de loisirs créatifs ou les quincailleries) afin d'éviter que l'adhésif ne tache ou ne traverse les matières délicates. Pour le montage des photos, utilisez du ruban adhésif spécial, qui est décollable et sans acide.

PINCEAUX

Les pinceaux d'artiste sont offerts dans une vaste gamme de grosseurs; la plupart des projets décrits dans cet ouvrage demandent un pinceau assez fin. Prenez l'habitude de nettoyer vos pinceaux aussitôt après l'utilisation et redonnez-leur une forme avant de les ranger dans un bocal vide, à la verticale, les poils vers le haut.

ORDINATEURS

De nos jours, les ordinateurs ne servent pas qu'à stocker des images mais aussi à les manipuler. Si vous avez un numériseur à votre disposition, vous pouvez transférer vos épreuves dans des fichiers numériques. Vous pourrez alors réduire ou agrandir votre photo sur l'écran pour mieux la visionner ou essayer différentes couleurs assorties à votre projet.

RÉGLETTES DE CADRAGE

Vous pouvez vous procurer ces accessoires dans une boutique d'équipement photographique ou en fabriquer vous-même en découpant deux grands L dans du carton rigide. Ils servent à former un rectangle de taille indéfinie qu'on posera sur une photo et qu'on déplacera ensuite pour savoir quels objets ou quels personnages inclure dans le cadre ainsi formé (recadrer).

ACCESSOIRES DE COUPE

Que vous choisissiez des ciseaux ou un couteau universel, les deux doivent être extrêmement tranchants car toute lame émoussée déchirera le papier et créera un bord irrégulier. Pour de meilleurs résultats, exercez-vous d'abord à utiliser le couteau universel sur une planche à découper. Si vous souhaitez une finition décorative, optez pour des ciseaux cranteurs. Il en existe une grande variété, pourvue de différents motifs, allant des douces ondulations aux zigzags très pointus.

COLLES ORDINAIRES

Ces colles se vendent sous forme liquide ou en bâton. Veillez à ce qu'elles soient à base d'eau – colle polyvinylique ou pour papier, par exemple – sinon elles risquent de traverser le papier et d'altérer l'image.

STYLOS ET PEINTURES

Le marché regorge de stylos, de peintures et de crayons (en vente dans les papeteries ou les boutiques de matériel d'art), entre autres :

- Stylos métallisés
- Crayons de cire
- Stylos irisés
- Craies de couleur
- Feutres
- Peintures acryliques

COINS PHOTO

Ces petits triangles se présentent sous différents aspects, notamment de couleur unie ou métallisée, ou encore, avec une surface en relief. Il suffit de les enfiler sur les coins de la photo ; ils sont auto-adhésifs.

ROULEAUX

Ne pressez jamais un élément avec vos mains. Même si vous croyez avoir les doigts propres, ils risquent de laisser de petites marques graisseuses ou de minuscules taches de colle. Servez-vous plutôt d'un rouleau propre et sec, semblable au petit rouleau de mousse dont on se sert pour passer la peinture.

RÈGLE EN MÉTAL

Avec un couteau universel, il convient d'utiliser une règle solide en métal. Elle assure un bord franc et droit, permet d'effectuer une coupe fine et ininterrompue et, contrairement à une règle en bois ou en plastique, elle ne risque pas d'être entaillée par la lame tranchante.

TAMPONS, POCHOIRS, ET AUTOCOLLANTS

Pour décorer vos pages, ayez recours à divers types de tampons et d'autocollants. Variez vos tampons en utilisant des encres de couleurs différentes et utilisez les autocollants fournis avec cet ouvrage pour écrire les légendes de vos photos et objets. Procurez-vous du carton à pochoir huilé et découpez les formes nécessaires, puis peignez les motifs ou les lettres à même la page (voir page 11).

PHOTOCOPIEUSE

Servez-vous d'une photocopieuse pour reproduire vos précieuses photos et d'autres souvenirs de forme plane, comme les coupures de journaux.

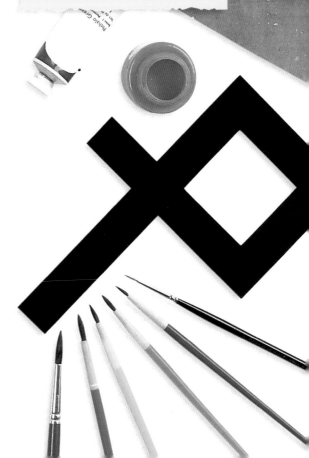

PAPIERS ET CARTONS

Dans n'importe quelle papeterie, vous trouverez une multitude de papiers et de cartons pratiques pour ajouter à vos pages des éléments artistiques. En voici quelques-uns en guise de point de départ à votre imagination :

- Papiers de soie fins. N'hésitez pas à superposer plusieurs coloris pour créer des effets spectaculaires.
- Papiers faits main. Cherchez-en avec inclusions de fils texturés, de pétales séchés ou bien de feuilles.
- Feuilles d'aluminium de couleur ou cartons à endos en aluminium, ou... papiers de bonbon métallisés et lissés en guise d'alternative bon marché.
- Papiers de riz.
- Papiers et cartons unis.
- Papiers cadeau.
- Napperons en papier.
- Cartons de montage et d'encadrement prêts à l'emploi.

techniques

Pour réaliser le montage de votre album, vous aurez recours à diverses techniques, dont aucune ne demande d'habiletés particulières. Voici quelques-unes des techniques de base, accompagnées de trucs qui vous permettront d'obtenir un résultat professionnel.

COINS PHOTO

Pour disposer correctement chaque coin photo, voici comment procéder :

1 Posez votre photo sur la page de l'album et indiquez légèrement chacun des coins au crayon à mine.

2 Enlevez la photo et faites coïncider les repères avec le sommet de chaque coin triangulaire.

3 Une fois les coins fixés sur la page, glissez-y délicatement les coins de la photo.

TECHNIQUES DE DÉCOUPAGE

Le secret d'une découpe nette et régulière consiste à tailler en un mouvement continu, sans éloigner la lame du papier. Si on retire la lame, il est quasiment impossible de la réinsérer convenablement et de poursuivre sans créer une petite encoche dans le tracé. En ce qui concerne la découpe des courbes, là courbure sera plus nette si on fait pivoter le papier plutôt que la lame.

FABRIQUER UN CADRE SIMPLE

La technique la plus facile consiste à se servir de la photo comme gabarit temporaire. Cette technique convient aussi pour créer des cadres de montage

(placés en arrière de la photo), en sautant l'étape 2.

1 Posez votre photo à l'envers sur l'envers du matériau que vous avez choisi en guise de cadre et tracez soigneusement le contour de la photo en vous aidant d'une règle. Posez la règle par-dessus la photo en la faisant un peu dépasser plutôt qu'en la plaçant à ras du bord (pour éviter de l'abîmer). Retirez ensuite la photo.

2 Sachant que vous voudrez que le cadre chevauche un peu les bords de la photo, vous devrez retracer une ligne de coupe à l'intérieur de la première ligne. Marquez deux ou trois points de repère sur chaque bord pour réaliser une bordure droite, puis tracez la ligne de coupe à l'aide d'une règle.

3 Déterminez la largeur du cadre et utilisez cette mesure pour tracer la ligne de coupe extérieure (comme à l'étape 2).

RÉALISER DES BORDURES

Il peut arriver que vous ne souhaitiez pas mettre en valeur vos photos à l'aide d'un cadre ou d'un carton de montage. Vous opterez plutôt pour un bout de ruban, une bande de papier décoratif ou tout autre ornement. Là encore, servez-vous de votre photo comme

gabarit pour tracer la ligne qui définit la position. Pour obtenir une finition nette et professionnelle, taillez si possible en onglet (en angle) les coins du matériau utilisé en guise de bordure.

1 Déterminez la largeur de la bande utilisée comme bordure, par exemple 2,5 cm, et découpez chaque bande ainsi : mesurez chaque côté de la photo et ajoutez à chaque mesure deux fois la largeur de la bande (soit 5 cm).

2 Placez les bandes à leur place sur les bords de la photo (dans l'exemple présent, les bandes se chevaucheront sur 2,5 cm à chaque coin).

3 À l'aide d'un couteau universel et d'une règle, effectuez une entaille droite à travers la bordure à l'endroit du chevauchement, du coin intérieur vers le coin extérieur, ce qui créera un angle de 45 degrés à chacune des extrémités de la bande.

4 Collez les bandes à leur place, en faisant coïncider parfaitement les onglets.

CALQUER DES IMAGES

Il sera d'un bel effet d'agrémenter vos pages au moyen d'images associées au thème choisi, mais si

vous doutez de vos talents artistiques, il est préférable de calquer ces images. La méthode la plus simple consiste à utiliser du papier carbone, en vente dans les papeteries. Si vous ne voulez pas tracer à même le document original, photocopiez-le.

1 Posez le papier carbone à l'envers sur votre papier et retenez-le en place à l'aide de ruban à masquer.

2 Posez l'image choisie à l'endroit, par-dessus le papier carbone et maintenez-la à l'aide de ruban à masquer.

3 À l'aide d'un crayon à mine, tracez délicatement le contour de l'image. Enlevez les deux épaisseurs en veillant à soulever le papier carbone proprement pour qu'il ne salisse pas l'image décalquée.

DÉCOUPER DES GABARITS ET DES POCHOIRS

Cartons de montage et cadres peuvent s'utiliser maintes et maintes fois, mais si vous avez un grand nombre de photos du même format, fabriquez un gabarit pour vous éviter de mesurer chacun des cartons de montage ou des cadres. Suivez les étapes associées à la fabrication d'un cadre ou d'un carton de montage en découpant votre gabarit dans une chute de carton épais (plus durable). Vous pouvez aussi réaliser des gabarits pour des motifs décoratifs complexes, des pochoirs, des images et du lettrage, afin d'ajouter à votre album des élé-

ments originaux. Suivez les étapes simples suivantes :

1 Tracez votre motif ou votre lettrage sur du carton, en simplifiant à mesure toute zone complexe. Gardez en tête que toute section découpée du carton doit rester attachée au reste du carton, c'est-à-dire que le motif découpé est toujours retenu au morceau entier et que lorsque vous soulevez le carton, le motif est situé à l'intérieur.

2 En travaillant sur une planche à découper, découpez selon le tracé à l'aide d'un couteau universel tranchant. Enlevez le surplus.

3 Disposez le pochoir sur votre page et maintenez-le en place avec un bout de ruban à masquer. Trempez le bout d'un pinceau fin dans de la peinture et appliquez-la sur toutes les zones du pochoir, en procédant du bord vers l'intérieur.

4 Une fois la peinture sèche, retirez le pochoir.

DÉCALQUER PAR FROTTEMENT

Le décalquage par frottement s'avère une technique efficace pour reproduire la surface des souvenirs qui ne sont pas plats, tels que pièces de monnaie ou petits coquillages, et qui ne logeront donc pas dans votre album. Les pages étant faites de papier épais, il est préférable de reproduire les images sur un papier séparé que vous monterez ensuite sur la page.

1 Pour obtenir un décalquage net, il ne faut pas bouger l'objet. Maintenez-le en place fermement sur une surface plane avec de la pâte à modeler. L'objet doit être aussi plat que possible et la pâte à modeler ne doit pas être apparente.

2 Posez votre papier sur l'objet et fixez-le avec du ruban à masquer.

3 En tenant le papier d'une main, frottez fermement la surface de l'objet avec un crayon de cire ou un fusain pour reproduire le motif.

AJOUTER DES SOUVENIRS

Les objets souvenirs constituent une partie importante d'un album et pour les monter comme il faut, ils doivent être aussi plats que possible. Si les vieilles coupures de journaux, les brochures et même les photographies n'ont besoin que d'un lissage, d'autres articles, tels que feuilles ou fleurs, doivent être séchés. Dans les deux cas, on aura recours au pressage.

1 Trouvez quatre ou cinq livres lourds. Ouvrez-en un et tapissez les deux pages avec plusieurs épaisseurs d'essuie-tout ou de papier ciré.

2 Placez votre objet souvenir au centre de la page tapissée et refermez le livre avec précaution.

3 Empilez les autres livres sur le premier et n'y touchez plus pendant plusieurs jours. Si vous faites sécher un article, laissez-le sous presse pendant au moins trois semaines.

assembler une page

La première fois que vous vous trouverez devant une page blanche, vous risquez de ne pas trop savoir par où commencer. Lisez d'abord les suggestions données ci-dessous, puis prenez un petit moment pour planifier votre présentation et le projet dans son ensemble. Vous serez assuré ainsi de créer un précieux assemblage de vos instants uniques et, ce qui est tout aussi important, de prendre plaisir à le faire.

AVANT DE COMMENCER

Avant même de songer à la présentation, prenez quelques heures pour trier vos photos. Il n'est pas question ici de déterminer quelle photo ira sur quelle page, mais simplement de choisir quelles photos présenter. Cette activité convient bien à un week-end pluvieux ou à une soirée tranquille. Invitez les membres de la famille à prendre part à cette occupation amusante. Triez ensuite les photos en trois piles : les « obligatoires », les « rejetées » et les

« peut-être ». En plus de trouver une multitude de photos dont la qualité n'est pas suffisante pour qu'elles soient exposées, vous aurez sans doute la surprise de voir quelle quantité de clichés a été prise du même personnage ou de la même scène.

CHOISIR UN THÈME

Une fois les photos sélectionnées, la présentation la plus simple est thématique. Cet ouvrage propose tout un choix de thèmes, mais il ne s'agit que de suggestions. Ne vous sentez pas obligé de vous y tenir. La plupart du temps, un thème vous viendra à l'esprit en triant vos photos. Peut-être avez-vous un grand nombre de clichés d'une même personne ou bien d'un loisir que vous avez souvent photographié. Vous pourriez aussi remarquer que beaucoup de vos photos traduisent votre passion pour l'architecture ou les paysages. Vous pouvez même essayer de regrouper des photos totalement différentes en

les associant par le biais d'une couleur éclatante, ou encore, présenter les nombreux événements qui ont eu lieu durant la même semaine ou le même mois. Les possibilités sont en réalité infinies et elles n'ont de limite que votre imagination.

CRÉER DES AGENCEMENTS

Le secret d'une présentation réussie est l'expérimentation. En feuilletant des magazines et des ouvrages illustrés, vous aurez un aperçu des mises en page possibles. En outre, avant de réaliser quoi que ce soit de définitif, disposez vos photos de diverses manières. Essayez d'associer des photos de formats différents, de les regrouper selon des thèmes divers (par exemple, le sport, les vacances, la famille) et de réaliser des collages afin de faire loger toutes les images destinées à la page.

Déterminez si l'histoire se lit d'elle-même rien que par l'agencement des photos ou si elle aura besoin de

commentaires, qui prendront eux aussi de la place. De quelle manière allez-vous rendre la page intéressante ? Quelques lignes de texte suffiront-elles ou devrez-vous y ajouter des objets souvenirs ? Utiliserez-vous une police de caractère différente dans le but d'allier l'aspect décoratif à l'information ? Certains éléments artistiques ou d'encadrement pourraient-ils ajouter un intérêt à la présentation générale ?

Vous répondrez à toutes ces questions durant vos essais et, au bout du compte, ce temps supplémentaire sera récompensé.

CARTON DE MONTAGE ET CADRE

Vous pouvez bien sûr présenter vos photos en les collant directement sur la page, mais le fait de leur ajouter un cadre ou un carton de montage rehausse l'effet obtenu, en plus de permettre de circonscrire un groupe de photos ou de mettre en valeur un cliché particulier. Déterminez quels matériaux vous allez utiliser et s'ils complètent bien les photos concernées : par exemple, si un joli napperon en dentelle ou un élégant papier fait main conviennent bien à une photo de mariage ou de baptême, ils seront totalement déplacés avec une photo de camping. Fouillez dans vos affaires en quête d'idées et posez des photos sur différents matériaux, comme un bout de papier cadeau, un carton de couleur ou même du papier aluminium,

afin de trouver des associations harmonieuses. Vous pouvez superposer de fins bouts de papier pour créer une impression subtile de profondeur et varier les coloris pour capter le regard. Enfin, vous pouvez vous inspirer de la photo elle-même en y cherchant une teinte prédominante ou un sujet particulier que vous pourrez agrandir et placer sur la page de sorte à créer un agencement à deux niveaux.

UTILISER LA COULEUR

Ne sous-estimez jamais le pouvoir de la couleur. Le fait de placer les éléments de votre page sur une couleur donnée pourrait faire toute la différence, que la couleur soit sous forme de fond uni ou bien de quelques cadres, cartons de montage ou motifs décoratifs. Si vous pouvez toujours avoir recours à des associations confirmées – telles que le blanc pour un mariage ou le bleu pour la naissance d'un garçon –, pour ajouter du poids à votre histoire, vous pouvez aussi faire appel aux principes chromatiques dans le but de mettre votre présentation en valeur. En général, vous remarquerez que les couleurs foncées semblent avancer sur la page tandis que les coloris plus pâles ont l'air de s'éloigner; ces propriétés peuvent donc renforcer l'effet de votre présentation. Un fond à motifs délicats serait dominé par des photos très colorées; en revanche, en guise d'arrière-plan à une photo

noir et blanc toute simple, le contraste sera saisissant.

COMPOSER UNE NARRATION

Quel que soit le sujet de votre présentation, il sera plus vivant si le lecteur de votre album connaît les détails et l'histoire entourant l'événement, ce qui se traduit plus facilement sous la forme d'une narration.

Des noms et des dates, une description, une anecdote amusante ou une impression générale à l'égard du sujet présenté sont autant de façons de donner des détails. (Un texte rédigé au présent permet au lecteur de mieux vivre l'expérience.) Demandez aux personnes photo-graphiées d'ajouter des commentaires, par exemple, quel moment de la journée ou des vacances ont-ils préféré, quel temps faisait-il, qu'ont-ils mangé ? Plus vous ferez participer de gens à cet album de famille, plus il aura de valeur pour les générations à venir.

associer ancien et nouveau

Il peut être fascinant de regarder une photo d'un membre de la famille depuis longtemps disparu. En effet, avec les années, on en vient à remarquer certains traits communs et on prend peu à peu conscience de qui l'on est et d'où l'on vient.

La découverte de notre appartenance à une longue lignée de proches partageant certaines caractéristiques est fascinante tant pour les jeunes que pour les anciens. Prenez donc soin de réserver quelques pages de votre album de famille, dans lesquelles vous établirez une comparaison entre les membres des générations précédentes et actuelle.

Associer photos anciennes et nouvelles sur une même page peut constituer un certain défi. Les photos modernes, glacées et aux couleurs vives, vont souvent écraser les clichés sépia, délicats et fanés d'antan. Pour contourner le problème, il existe plusieurs solutions.

L'un des moyens les plus évidents consiste à utiliser des photos en noir et blanc plutôt qu'en couleur pour éviter les contrastes choquants et créer un effet plus harmonieux. Convertir des clichés couleur en noir et blanc est un procédé simple puisqu'on peut facilement tirer des photos en noir et blanc à partir de négatifs couleur.

Vous pourriez aussi tout simplement photocopier vos épreuves préférées.

Ne vous inquiétez pas si certaines reproductions ne sont pas parfaites; ce défaut s'harmonisera au grain souvent visible de certaines photos anciennes et le résultat sera au contraire d'un bel effet. En outre, le fait de regrouper plusieurs photos sur la même page ou de les orner d'une bordure décorative dessinée à la main rendra d'emblée la page homogène, malgré les disparités de ton.

COMPARAISON ET CONTRASTE

La juxtaposition de photos de personnages situés dans des environnements similaires fait ressortir les goûts et les loisirs de la famille tout en offrant des contrastes de couleur. En présentant une photo d'une mère ou d'un père occupés à une activité banale, telle que marcher sur la plage, et un cliché moderne de leurs enfants occupés à la même activité une génération plus tard, on contribue à réduire le clivage des âges tout en laissant place à l'amusement provoqué par les différences au niveau des maillots de bain ou des jouets de plage.

En présentant des photos anciennes et nouvelles sur une même page d'un album, on établit un parallèle entre le passé et le présent, surtout s'il s'agit d'un cliché ancien du même lieu ou de la même activité.

AGENCER LES COULEURS

On peut créer un lien visuel entre deux photos en choisissant, par exemple, une couleur prédominante sur une photo actuelle et en l'utilisant en guise de cadre ou de carton de montage pour une vieille photo noir et blanc. Si votre petit-fils porte un chandail vert, complétez une photo ancienne en l'encadrant avec un vert assorti.

CARTONS DE MONTAGE COUSUS

Coordonnez l'ancien et le nouveau grâce à des cartons de montage de style rétro réalisés dans du papier parchemin. Percez une série de trous le long des quatre côtés du carton, puis enfilez-y un fil ou une ficelle. Utilisez un point avant et passez d'un trou à l'autre, sur le bord du papier.

La technique de la comparaison et du contraste convient également aux lieux. Des clichés ancien et moderne, pris au même endroit et juxtaposés, illustrent à merveille le passage du temps.

TECHNIQUES D'ENCADREMENT

Pour compléter les bords délicats des photographies anciennes, à l'aide de ciseaux cranteurs, découpez des bordures décoratives irrégulières sur les photos contemporaines. Cette technique convient particulièrement bien aux clichés modernes, dotés d'un liseré blanc. Si vous ne voulez pas abîmer les photos originales, vous pouvez simplement coller chaque photo sur un rectangle de papier, aux bords découpés de manière fantaisiste.

simuler les vieilles photos

Les photos anciennes revêtent un aspect charmant, parfois même attendrissant. Leur présentation souvent guindée, leur couleur sépia subtile – ou, dans certains cas, les couleurs ajoutées à la main – et leurs arrière-plans vieillots les rendent uniques.

Se déguiser pour imiter le passé permet de mettre en valeur ressemblances et différences. Le portrait ancien et sérieux de la fillette, à droite, accolé à la photo noir et blanc moderne, crée un lien attendrissant.

Alors que les pages précédentes présentaient la juxtaposition des photos anciennes et nouvelles en vue d'établir une comparaison et un contraste, ces deux pages traitent des moyens employés pour transformer des photos nouvelles et les faire ressembler à de charmantes photos anciennes.

Une superbe photographie en couleur peut sembler déplacée au milieu de vieux clichés monochromes. Pour remédier à ce problème, on peut photocopier la photo en noir et blanc, sur du papier mat ou glacé de bonne qualité, la découper au format requis et la disposer à sa place.

En feuilletant de vieux albums, vous trouverez des idées sur la manière de disposer et de présenter vos clichés. Les anciens albums renferment en général des portraits de famille guindés puisque la photographie était un luxe et que les personnages constituaient le sujet principal et la base même d'une collection. Pour donner une impression de nostalgie et réaliser une présentation stimulante, vous pouvez reprendre des techniques anciennes, comme l'utilisation de pages protectrices faites de papier de soie fin, de coins photo en papier, de légendes écrites à la main ou de bordures simples tracées à l'encre.

OBJETS SOUVENIRS

À l'époque où n'existaient ni le courrier électronique, ni la messagerie instantanée, ni même le téléphone, il était courant de conserver une mèche de cheveux ou de la correspondance pour se souvenir d'un être cher. Vous pouvez faire revivre ces coutumes sentimentales,

et pourtant attendrissantes, en nouant une mèche de cheveux d'un membre de votre famille avec un ruban et en la conservant dans une enveloppe présentée sur la page, ou encore, en insérant quelques lignes d'une lettre que vous affectionnez près de la photo de l'expéditeur ou du destinataire.

SIMULER LE TON SÉPIA

La plupart des matériaux se décoloreront s'ils sont exposés aux rayons du soleil. Avec du ruban adhésif, fixez des papiers de couleur et des photos modernes sur la face intérieure d'une fenêtre orientée au sud. N'y touchez plus durant quelques semaines et laissez la nature faire son œuvre. Les photos jauniront un peu, les papiers se décoloreront et vous obtiendrez ainsi des éléments faussement vieillis.

Vous pouvez aussi recouvrir une feuille de papier de couleur avec des bandes de dentelle sans relief ou avec les bords d'un napperon en papier, puis exposer le tout au soleil, comme précédemment. Les zones non couvertes par la dentelle ou le napperon présenteront

un motif décoratif. Découpez le papier à motif en bandes que vous utiliserez en guise de bordures ou de cadres.

COLORATION

Avant l'existence des photos couleur, les photographes coloraient leurs clichés à la main. De nos jours, on peut teinter de la même manière des clichés modernes noir et blanc (ou des photocopies) pour leur conférer un petit charme vieillot. Si l'on peut se procurer des encres colorantes spécialisées chez les détaillants d'équipement photographique, on peut aussi employer des encres de couleur normales ou des peintures acryliques. Des indications vous sont données dans l'encadré ci-dessous.

MISE EN SCÈNE

Pourquoi ne pas tenter une technique de collage ? Réunissez une collection de photos de famille où les personnes arborent des poses assez ordinaires – soit assis, soit debout – puis découpez soigneusement les silhouettes à l'aide d'un couteau universel. Disposez les découpages dans une pose traditionnelle : le chef de famille debout, la mère assise avec un enfant en bas âge sur les genoux et les autres frères et sœurs debout ou assis en avant, par exemple. Présentez le groupe sur un fond d'aspect traditionnel, pris dans un magazine ou sur une de vos photos, et que vous aurez photocopié sur du papier photo pour lui donner une apparence monochrome authentique. Une autre idée de mise en scène consiste à prendre un vieux portrait de famille et à remplacer tous les membres anciens par des découpages de votre propre famille.

Prenez le temps de feuilleter de vieux albums photos réalisés autrefois par des membres de la famille. Vous y puiserez idées et inspiration pour votre propre album souvenir.

COLORER UNE ÉPREUVE NOIR ET BLANC

1 Pour obtenir une texture fine, utilisez les encres de couleur directement du flacon ou bien diluez les peintures acryliques avec de l'eau. Essorez bien le pinceau avant de commencer et faites des essais sur une photo de rebut.

2 Les couches d'encre doivent ressembler à un lavis. Évitez les coloris vifs et privilégiez plutôt les teintes subtiles et un maximum de trois couleurs, que vous appliquerez au moyen d'un pinceau d'artiste doux, et seulement avec la pointe.

3 Il s'agit ici de rehausser des zones bien spécifiques, telles que lèvres, yeux, cheveux ou même vêtements. Faites plusieurs essais de rehauts jusqu'à ce que vous trouviez la combinaison la plus harmonieuse.

préserver le passé

Bien souvent, les vieilles photos de famille sont rangées dans un coin, hors de vue. On risque donc de les retrouver endommagées ou de ne pas y voir mentionnée l'identité des personnages photographiés. Quelques réparations et un travail de détective vous permettront toutefois d'obtenir de précieuses images pour votre album.

Si vous souhaitez inclure des photos originales qui montrent déjà des signes d'usure, ne réparez pas le cliché au risque de l'endommager davantage. N'utilisez jamais de ruban adhésif pour réparer des bords déchirés car, avec le temps, il marquerait et décolorerait la photo. Placez plutôt les originaux fragiles dans des petites pochettes transparentes (sans acide) afin d'éviter que toute manipulation n'endommage leur surface vulnérable ou ne déchire leurs coins retournés. Ces pochettes transparentes peuvent aussi servir d'élément décoratif si on les fixe avec un bout de ruban ou de ficelle.

En photocopiant photos précieuses ou articles de journaux, vous pourrez les présenter sans risque d'endommager l'original, tout en mettant en valeur des détails particuliers qui passeraient sinon inaperçus. Ces détails peuvent aussi s'accompagner de commentaires si vous parvenez à obtenir une information supplémentaire auprès d'un membre de la famille plus âgé. Par exemple, un portrait datant des années 1920 d'une fillette vêtue d'une robe sophistiquée en dentelle sera plus intéressant si on lui ajoute le texte suivant : « Grand-tante Lucy dit que c'était sa tenue de tous les jours ! » Pour annoter les photos anciennes, écrivez avec application à l'aide d'un stylo plume afin de respecter l'époque du cliché.

MONTAGE

Pour coller les photos sur les pages de votre album, il faut absolument éviter les adhésifs modernes car ils risquent de traverser le papier délicat et de le tacher. La méthode correcte (et prudente) de présenter les photos consiste à utiliser des coins photo conventionnels, tel que décrit à la page 10. Ces petites pochettes triangulaires, en général autocollantes, se glissent facilement sur le coin de la photo et ajoutent d'emblée un peu du charme de l'ancien temps.

UTILISER UN ORDINATEUR POUR RÉPARER UNE PHOTO ABÎMÉE

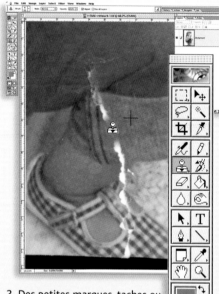

1 Taches et décoloration peuvent être corrigées par le biais d'une retouche informatique. On peut même réparer des zones abîmées en ayant recours à l'outil de duplication (clonage) pour prélever des pixels sur des sections similaires et retoucher la zone en question.

2 Des petites marques, taches ou éraflures peuvent être éliminées en passant simplement le tampon de duplication sur la zone concernée, en utilisant des pixels de la zone avoisinant l'éraflure ou la marque.

3 La plupart des programmes d'édition d'images connus comportent des outils de correction automatiques. Ces correcteurs vous permettent d'analyser la couleur, le ton et la luminosité de l'image, et de les recombiner pour créer un équilibre parfait.

MANIPULATION INFORMATIQUE

Les avancées récentes de la technologie informatique permettent à un grand nombre d'entre nous de transférer des images dans notre disque dur et de les récupérer facilement et en toute sécurité. La numérisation de photos originales donne d'excellents résultats. On peut aussi manipuler l'image et la stocker dans un fichier numérique. Pour améliorer la qualité et l'aspect d'une photographie, il suffit de lui faire subir quelques modifications à l'aide du logiciel du numériseur ou d'un programme d'édition d'images (voir les instructions ci-dessus).

TÉMOIGNAGES

Prenez le temps de discuter avec les aînés et prenez leurs récits en note. Bien souvent, les personnes âgées ont une connaissance encyclopédique des membres de leur famille ainsi que des liens complexes existant entre les différentes branches de la famille. Servez-vous des renseignements qu'ils vous procurent pour identifier des personnes inconnues et attribuer à celles-ci la place qui leur revient dans l'histoire de la famille. Les récits que font les aînés des événements historiques et de la vie quotidienne vous donneront un précieux aperçu des époques passées tout en contribuant à rendre les pages de votre album vivantes.

OBJETS SOUVENIRS

L'ajout de souvenirs – coupures de journaux, billets d'excursion et cartes postales anciennes – confère à votre album une atmosphère et une authenticité supplémentaires. Vous risquez cependant de posséder moins de souvenirs datant de l'époque de vos grands-parents que de la vôtre; il faudra donc faire preuve de créativité. Demandez des souvenirs aux membres âgés de votre famille ou cherchez sur Internet l'une des nombreuses compagnies qui procurent désormais des copies des vieux journaux datant d'époques particulières ainsi que d'autres souvenirs anciens correspondant aux événements de l'époque.

portrait d'un ancêtre

Consacrer quelques pages de votre album de famille au portrait d'un membre d'une génération antérieure peut s'avérer une expérience très enrichissante tant pour vous que pour les futurs lecteurs.

Lettres et documents vous aideront à reconstituer la vie de vos proches plus âgés, presque comme s'il s'agissait d'un puzzle familial.

En plus de procurer des archives aux générations à venir, le portrait d'un ancêtre vous permettra de plonger dans les détails d'une vie et d'une époque radicalement différentes par rapport à tout ce que vous connaissez.

Avant de vous lancer, demandez-vous à quelles questions vous aimeriez avoir une réponse lorsque vous regardez une collection de photos appartenant à quelqu'un d'autre.

Normalement, vous aimeriez en savoir davantage sur la personne qui se trouve devant vous : de qui s'agit-il ? quel était son mode de vie ? sa profession ? quel genre de vêtements portait-elle ? avait-elle fondé une famille ? et quels événements importants se sont produits au cours de sa vie ? Toutes ces questions devraient être traitées dans les pages de votre album. Tâchez d'inclure des photos illustrant toutes les étapes de la vie du sujet : enfance, scolarité, vie militaire, emploi, vie de famille et vieillesse. Ces aspects peuvent ensuite être illustrés à l'aide d'images de son

cadre de vie : sa résidence, son lieu de travail ou la région dans laquelle il demeurait.

Pour rendre le portrait plus évident et plus complet, vous pouvez ajouter des preuves d'authenticité, tels que documents officiels, coupures de journaux, correspondance, échantillons de tissu (voir page ci-contre) et même récits témoignant des événements marquants.

L'un des moyens les plus efficaces de présenter le portrait d'un ancêtre consiste à monter plusieurs portraits du sujet autour d'un texte relatant l'histoire de sa vie. Agrémentez les photos de votre album à l'aide de bordures sophistiquées, or ou argent, dessinées à la main (voir encadré ci-contre, en bas). Vous pouvez aussi monter les clichés sur des papiers d'une délicate couleur crème ou sépia, semblables à ceux qui auraient été utilisés à l'origine. Tout espace vide peut recevoir des objets souvenirs.

MONTAGE

Vous pouvez souligner l'importance de certains documents en les reliant directement aux clichés concernés. Par exemple, vous pouvez fixer une photo de bébé sur une copie d'un certificat de naissance ou une photo de mariage sur un acte de mariage.

LOISIRS

Même en l'absence de toutes les photos nécessaires, vous pouvez évoquer les passe-temps d'une personne. Partitions, photocopies de pochettes de disque dont un titre était populaire en ce temps-là ou carte d'adhésion à un club ou à une association, contribueront à donner un aperçu des loisirs de votre ancêtre.

LA MODE CHANGE

L'habillement permet d'emblée de dater une photographie, même si celle-ci n'est jamais en mesure de décrire le détail ou le toucher d'une étoffe. Si vous possédez des chutes de dentelle ou de tissus anciens, ou même un petit objet comme un mouchoir ou une serviette de table brodés, présentez-les avec vos clichés ou rangez-les dans une pochette ou une enveloppe transparentes. Les vieilles étoffes et leurs motifs sont très évocateurs, surtout si l'habillement sur la photo est en noir et blanc et que l'échantillon de tissu accolé au cliché sur la page est très coloré.

ENCADREMENT DORÉ ET MARGES BLANCHES

1 À l'aide d'un couteau universel, découpez un cadre ovale dans du papier blanc. Fixez le papier troué par-dessus le portrait au moyen de coins photo (pour préserver la photo ancienne).

2 Découpez un autre ovale, plus grand, dans du papier doré. Veillez à ce que la bordure blanche soit suffisamment large et visible. Fixez le papier doré sur le papier blanc à l'aide de colle.

3 À l'aide d'un couteau universel, taillez délicatement les bords du cadre doré (angles arrondis ou droits) et fixez l'image sur la page d'album.

créer un arbre généalogique

En illustrant dans les pages de votre album de famille autant de générations que possible, vous donnerez aux futurs lecteurs une image des plus précises de leur héritage généalogique.

Cherchez des informations dans les boîtes de photos ou d'archives. Partez en quête de tout ce qui est nécessaire pour raconter une histoire dans les pages de votre album.

La généalogie n'a jamais connu une telle popularité et il existe désormais une foule de moyens pour trouver les renseignements dont on a besoin.

Internet constitue une méthode rapide et facile de communiquer avec la parenté et les amis présents dans le monde entier, et susceptibles de posséder les photos qu'il vous manque. Vous pouvez aussi avoir recours à Internet pour trouver des sites spécialisés en généalogie qui vous aideront dans votre recherche. En général, votre première source d'information demeure toutefois votre famille immédiate. Feuilletez les albums photos de votre parenté car nombre d'entre eux remonteront à quelques générations. Tâchez de trouver des certificats de naissance, des lettres, des documents datant de la guerre et des actes de mariage qui permettront d'éclaircir les liens existant entre les ancêtres. Si les personnes sont réticentes

à se départir de ces précieux objets, vous pouvez simplement les photocopier ou les numériser dans un ordinateur. Vous pourrez disposer des images ainsi obtenues à votre guise ou vous en servir comme élément décoratif ou informatif dans votre album souvenir.

Réveillez le détective qui est en vous. Les agences gouvernementales et les archives paroissiales possèdent un grand nombre de sources de renseignements à caractère historique. On peut avoir accès à la plupart des archives officielles, même s'il faut parfois chercher longtemps avant d'accéder au ministère concerné.

Jusqu'où devriez-vous aller ? Nombre d'entre nous fouillons dans le passé afin d'en apprendre davantage sur nos origines. La découverte de nos racines est en général plus intéressante que le fait de savoir que nous avons un cousin au sixième degré qui vit dans un pays lointain. Dans le cas d'un album souvenir, il est sans doute préférable de dresser un tableau des descendants immédiats. Sinon, un petit arbre généalogique risque de se transformer en une quête sans fin.

LIENS INTERNET

Il est désormais possible d'effectuer une recherche simple relative à un nom de famille sur des moteurs de recherche très puissants. Vous risquez cependant d'obtenir des milliers de résultats. Voici quelques moyens d'affiner votre recherche : essayez en vous servant du nom de famille et de ce qui vous semble être le lieu d'origine de votre famille. Vous pouvez aussi naviguer sur des sites spécialisés en généalogie qui possèdent des centaines de sources différentes. Pour effectuer une exploration approfondie de l'histoire de votre famille, vous trouverez de plus amples renseignements en lisant « Rechercher vos racines » (pages 26-27).

ÉLÉMENTS DÉCORATIFS

Enjolivez vos banques d'images en insérant des devises ou armoiries de la famille. Effectuez des recherches à ce sujet sur Internet ou, si vous vous sentez l'esprit créatif, créez-en vous-même en vous basant sur des citations ou des symboles associés directement à votre famille.

MISE EN PAGE

Le modèle le plus simple est l'arbre généalogique descendant dans lequel tous les descendants d'un couple sont illustrés et reliés par de simples traits. Rien ne vous empêche néanmoins d'inverser la structure et de créer votre arbre à partir de l'un de vos enfants ou de vous-même et de remonter vers vos ancêtres. Si vous possédez un ordinateur, vous pouvez aussi chercher des logiciels qui aident à créer un arbre généalogique et offrent des suggestions de mise en page et de modèle.

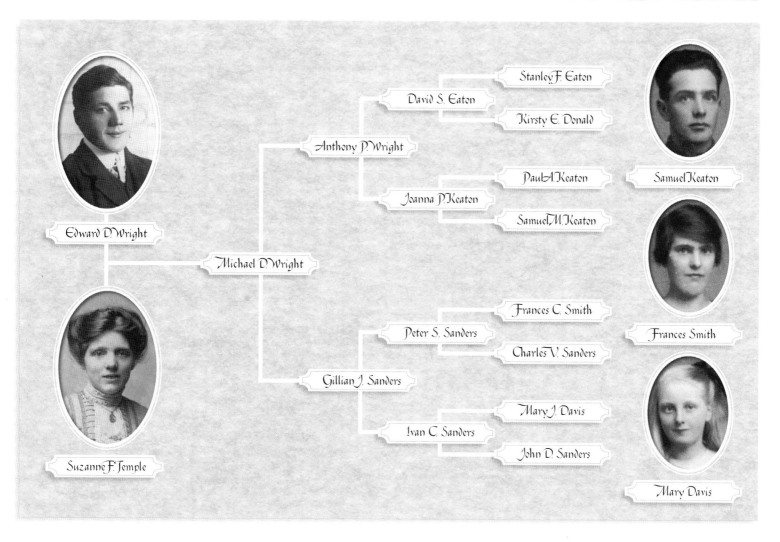

illustrer un arbre généalogique

Si vous cherchez un moyen décoratif de présenter l'histoire de votre famille, un arbre généalogique est l'élément qui vient immédiatement à l'esprit. Cet outil s'utilise depuis longtemps dans des ouvrages traditionnels et il procure une base de travail très pratique.

Feuilletez des livres ou des magazines d'histoire naturelle pour vous faire une idée des styles et des modèles d'arbres généalogiques existants. Dessinez ensuite à main levée une version simplifiée sur la page qui recevra vos photos. Cette étape prendra un certain temps puisqu'il vous faudra d'abord déterminer le nombre de branches et d'intersections nécessaires. Les photos ou les noms du couple le plus ancien de votre arbre seront disposés sur le tronc et les générations suivantes prendront place sur les branches de l'arbre. Si votre famille possède un grand nombre de branches ou si vous possédez trop de photos pour rendre ce projet faisable, vous pourriez devoir simplifier le processus ou « tailler » un peu l'arbre avant de commencer.

Pour poursuivre sur le thème de l'arbre, en guise d'arrière-plan sur lequel présenter votre page, vous pouvez utiliser une image agrandie soit d'un seul arbre, soit d'une forêt.

En diminuant le contraste et en augmentant la luminosité de la photocopieuse, vous obtiendrez un fond plus pâle qui ne nuira pas à votre arrangement. Vous pouvez aussi choisir de supprimer carrément l'image de fond.

Il est intéressant de superposer ou de regrouper certaines générations en un photomontage. Cela permettra de mettre en valeur un groupe au sein de votre arbre généalogique et aura davantage d'effet que d'encadrer simplement la collection.

Quel que soit votre choix, n'oubliez pas de laisser beaucoup d'espace pour écrire les noms au complet ainsi que les dates et les lieux de naissance et de décès, s'ils sont connus. Après tout, vous présentez un fragment d'histoire qui sera à la fois utile et intéressant pour l'avenir.

Un arrangement de feuilles stylisées, vaporisées d'or ou d'argent et barrées d'étiquettes blanches, constitue un arbre généalogique artistique et informatif.

UTILISER LE MODÈLE D'ARBRE

Le modèle d'arbre présenté ci-contre est un exemple de moyen thématique utilisé pour illustrer votre ascendance. Photocopiez le modèle et collez-le sur votre album souvenir. À l'aide d'un stylo à encre de calligraphie ou d'un autre stylo décoratif, écrivez sur le tronc le nom des membres de votre famille. Découpez ensuite les photos que vous avez choisies de sorte qu'elles logent dans les fruits situés au bout des branches. Si vous ne voulez pas photocopier l'arbre, vous pouvez le décalquer, transférer le dessin sur votre page d'album et le colorier pour qu'il s'agence à la présentation d'ensemble de votre page.

1. _____
2. _____
3. _____
4. _____
5. _____
6. _____
7. _____
8. _____
9. _____
10. _____
11. _____
12. _____
13. _____
14. _____

rechercher ses racines

L'une des raisons qui vous pousse à rechercher vos ancêtres est sans doute l'envie de connaître vos racines. Peut-être aimeriez-vous savoir si vous descendez d'une personne en particulier ou si vous avez des liens avec un autre pays.

Au cours des derniers siècles, des millions de personnes ont émigré vers le Nouveau Monde. Les archives relatives à l'immigration peuvent vous aider à retracer votre ascendance.

Comme pour toute recherche généalogique approfondie, un bon point de départ – après votre famille – reste Internet. Plusieurs sites vous permettront de remonter jusqu'au dix-huitième siècle. Si vos ancêtres viennent de l'étranger et que vous connaissez leur pays (et de préférence, leur port) d'origine et la période approximative de leur arrivée, vous aurez alors plus de chances de trouver de l'information les concernant.

À toutes les époques, des gens ont quitté leur pays natal pour immigrer ailleurs. De 1892 à 1924, plus de 22 millions d'Américains sont passés par Ellis Island (New York). Au Canada, de 1852 à 1977, plus de 11 millions de personnes sont entrées au pays. Tous ces nouveaux venus étaient en quête d'une vie meilleure.

Il faut savoir qu'après leur arrivée, de nombreux immigrants européens ont changé leur nom de famille (ils l'ont abrégé ou anglicisé) pour mieux se fondre dans la société. Vous devrez donc tenir compte des différentes épellations,

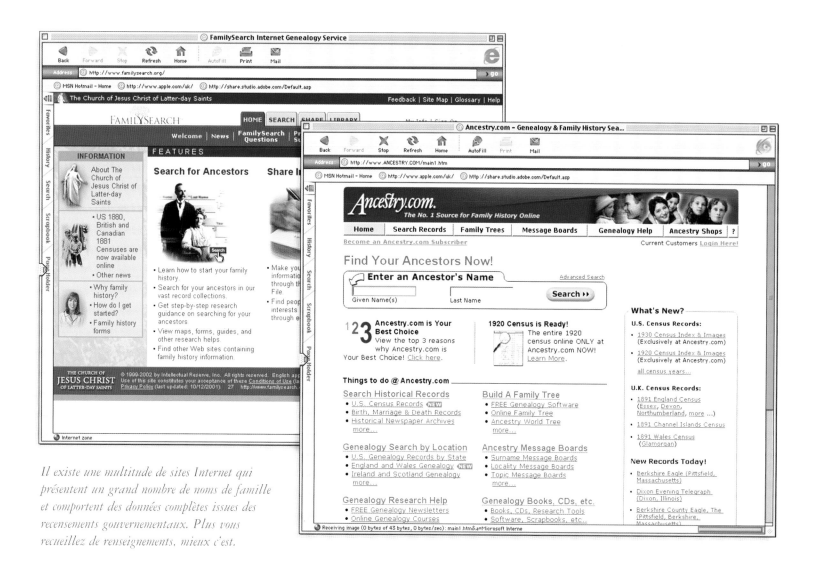

Il existe une multitude de sites Internet qui présentent un grand nombre de noms de famille et comportent des données complètes issues des recensements gouvernementaux. Plus vous recueillez de renseignements, mieux c'est.

abréviations incorrectes et autres erreurs de transcription qui risquent de gêner votre recherche.

Vous pouvez aussi créer un site Internet personnel et inviter les autres à y participer. La présence de mots-clés importants, tels que noms de personnes et de lieux, attirera les internautes qui utilisent les mêmes mots pour effectuer leur recherche.

Le temps passé à découvrir vos racines vous donne accès à une foule de renseignements et procure de précieuses photos destinées à illustrer cet itinéraire historique.

ORGANISER VOTRE HÉRITAGE

Une fois votre recherche terminée, réfléchissez longuement à la manière d'inclure vos découvertes les plus importantes dans votre album. Réservez une section de votre page où retracer les origines ethniques. Cette section peut faire l'objet d'une présentation en soi. En disposant les images autour d'une carte du pays concerné – par exemple, l'Irlande, la Pologne ou l'Italie –, vous plantez le décor, auquel vous ajouterez dates et informations relatives à ces premiers arrivants. N'oubliez pas de laisser de

l'espace pour la documentation car celle-ci est indispensable lorsqu'on veut raconter une histoire.

SITES INTERNET UTILES

En entrant le mot « généalogie », vous aurez accès à de nombreux liens. Vous pouvez aussi taper les adresses suivantes :

Archives nationales du Canada :
www.archives.ca
Ellis Island :
www.ellisislandrecords.org

un nouveau-né

L'arrivée d'un bébé offre à coup sûr une mine de précieux souvenirs. De l'émotion de l'accouchement à la tendresse présente dans les jours qui le suivent, une description bien réussie de cette période risque fort d'être l'une des sections les plus regardées de votre album de famille.

Disposées çà et là, les empreintes du pied du bébé ajoutent à la page une note de tendresse.

Pour la plupart d'entre nous, la naissance d'un enfant constitue l'expérience la plus extraordinaire de notre vie et nous désirons en photographier chaque détail afin de la transmettre aux générations futures. Et c'est ainsi que nous possédons presque tous une boîte pleine de photos du nouveau-né, d'objets souvenirs personnels et d'informations associées à l'événement. Au lieu de laisser ceux-ci ramasser la poussière, vous pourriez vous en servir pour créer certaines des pages les plus évocatrices de votre histoire familiale : un récit détaillé de l'arrivée d'un nouveau membre de la famille.

DE LA COULEUR AU NOIR ET BLANC

Les premières photos d'un nouveau-né sont parfois décevantes. En effet, les bébés ont souvent le visage marqué par la naissance. Vous pourriez faire tirer des négatifs couleur en noir et blanc afin de supprimer l'aspect moins esthétique de la photo, soit le teint rougeâtre de votre bébé, tout en captant son adorable délicatesse.

Les cartes de souhaits, les données médicales, le bracelet d'identification du bébé et même des petits bouts de ruban provenant de sa première brassière ou couverture, tous ces objets peuvent être mis à contribution et servir à la fois d'élément décoratif et informatif sur les premiers jours du nouveau-né.

Même si elles sont peu artistiques, ces photos prises sur le vif d'une nouvelle maman émerveillée et épuisée, alitée près d'un petit paquet au visage cramoisi, constituent des souvenirs essentiels de ce moment très spécial que vous ne voudrez pas oublier. Ne les rejetez pas.

Tout le monde veut se faire prendre en photo avec le bébé, ce qui se traduit par une série de visages réjouis, en extase devant un paquet emmailloté dans une couverture. Choisissez le plus beau cliché du nouveau-né et placez-le au milieu de la page de votre album. Découpez ensuite tous les membres de la famille et les amis rayonnants de joie et disposez-les autour du tout dernier membre du cercle familial. Dans le cas d'un premier bébé, cette présentation illustrera le fait qu'une nouvelle

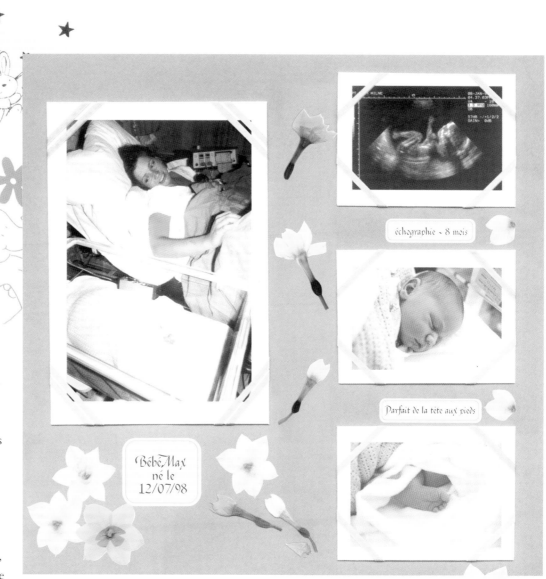

génération vient de voir le jour. Si vous souhaitez donner à ces pages un cachet élégant, utilisez des photos sépia qui conféreront une pointe de charme vieillot (voir page 16).

DANS L'ATTENTE DE L'HEUREUX ÉVÈNEMENT

Associés à des photos du nouveau-né, des photos de la future maman radieuse ou de la réception-cadeaux, ou même un cliché de l'échographie, vous aideront à construire un récit aboutissant à la naissance et à évoquer les sentiments d'impatience et d'excitation présents.

UTILISER DE LA COULEUR

Inspirez-vous des couleurs traditionnelles – bleu pour un garçon et rose pour une fille – et harmonisez les coloris de vos pages à votre bébé. Regroupez des photos sur de jolis papiers faits main afin d'ajouter continuité, texture et touche artistique, puis collez la page dans votre album souvenir.

UNE PRÉCIEUSE MÈCHE DE CHEVEUX

Quoi de plus doux que des cheveux de bébé ? Coupez-en une mèche et nouez quelques cheveux ensemble à l'aide de fil à broder fin. Agrémentez ce souvenir avec un joli nœud et rangez-le dans une enveloppe transparente avant de le fixer sur la page.

EMBOSSER

En vente dans les boutiques de loisirs créatifs et suffisamment fines pour être taillées avec des ciseaux, les feuilles d'aluminium ou de cuivre sont idéales pour créer le titre de la page. Pour embosser la feuille d'aluminium ou de cuivre, découpez un rectangle de métal à la taille désirée, et à l'aide d'un stylo bille, écrivez le prénom du bébé et sa date de naissance sur l'envers de l'aluminium. Écrivez-le en sens inverse en appuyant le stylo le plus possible. Le prénom apparaîtra en relief sur l'endroit du métal. En guise de finition, ornez la page de l'album à l'aide d'une bordure décorative que vous aurez réalisée de la même manière.

L'emploi de fleurs séchées dans vos pages d'album confère à la présentation couleur et délicatesse.

nommer un bébé

Parmi les nombreuses étapes de la vie de vos enfants dont vous voudrez transmettre le souvenir, le jour où vous leur donnez un prénom est bien souvent la première. Qu'il s'agisse d'un baptême, d'une circoncision ou de toute autre célébration, cette importante cérémonie de bienvenue mérite une page dans l'album de famille.

En plus de donner officiellement un prénom à votre enfant et de lui souhaiter la bienvenue dans ce monde, par cet événement, vous reconnaissez les responsabilités qui vous incombent de prendre soin de lui et de l'élever. Il est donc important de se souvenir de ce moment spécial et de noter les détails de cette journée.

Même si votre enfant occupe forcément le devant de la scène sur la page, assurez-vous d'y inclure des photos de la famille : grands-parents, frères et sœurs, oncles et tantes donnent une image de la famille de l'enfant et créent un sentiment d'appartenance. Si des photos des instants sérieux témoignent de l'importance de l'événement, il faudrait aussi y associer des photos plus ordinaires. Un papa plein de fierté qui berce son enfant, des frères et sœurs qui se confient des secrets ou jouent ensemble et des proches qui prennent des nouvelles de la parenté procurent tous un portrait d'ensemble de la journée. Une photo du lieu de la cérémonie plantera le décor et des clichés du repas ou de la réception complèteront le récit.

Le but est de créer une présentation unique qui traduit la joie et l'émotion présentes à cette occasion.

Pour bien dépeindre la journée, vous pourriez l'illustrer heure par heure. Essayez de trouver une photo pour chacune des heures et servez-vous d'éléments décoratifs tels qu'une image d'horloge.

POURQUOI CE PRÉNOM ?

Bien souvent, il faut beaucoup de temps aux parents pour trouver un prénom à leur enfant. Certains prénoms ont une signification particulière, une origine traditionnelle ou religieuse. L'enfant peut avoir reçu le prénom d'un membre de la famille, d'un ami ou même d'une célébrité. Quel que soit le motif, il est intéressant d'ajouter à la page un texte explicatif qui raconte pourquoi et comment ce prénom a été choisi.

Des petits ornements typiques, tels que cigognes, épingles de sûreté et biberons, sont tout indiqués pour une page dédiée au prénom d'un bébé.

UN NAPPERON EN GUISE DE CADRE

Adoptez la forme ronde, car c'est le napperon le plus souvent vendu dans les magasins.

1 Prenez un napperon plus grand que votre photo et posez-le sur une surface plane. Placez votre photo au milieu du motif et tracez le contour au crayon à mine.

2 Enlevez votre photo et, en vous basant sur le trait de crayon, dessinez un rectangle plus grand.

3 Découpez en suivant le trait extérieur pour créer le cadre. Pour reproduire la bordure ondulée originale, servez-vous de petits ciseaux tranchants et, en suivant le modèle de la dentelle, découpez toutes les sections indésirables. Collez ensuite la photo au centre du napperon.

TENDRE ACROSTICHE

Un autre moyen de personnaliser la page consiste à créer un acrostiche. Découpez chacune des lettres du prénom de votre bébé dans du carton de couleur ou utilisez des lettres autocollantes de fantaisie. Collez-les le long de la marge puis, à côté de chaque lettre, ajoutez un mot qui décrit votre enfant ou choisissez des mots ayant une signification particulière pour vous et vos proches.

ENCADREMENT

Dans le cas de photos de baptême, utilisez des napperons en papier, découpés en rectangles car leur bordure délicatement découpée rappelle la dentelle présente sur une robe de baptême traditionnelle (voir encadré ci-dessus). Vous pouvez aussi vous servir d'une épingle de sûreté pour fixer une photo à son cadre ou bien pour maintenir en place sur la page de l'album un petit bout de tissu ou de ruban provenant de la robe de baptême.

EN DÉTAIL

À cette occasion, les invités offrent un cadeau au nouveau-né. Dressez la liste des cadeaux qui ont été offerts, et par qui ils l'ont été, pour ne pas oublier ces détails. Écrivez soigneusement les noms sur l'envers d'un carré de joli papier d'emballage, de 10 cm de côté. Repliez le bord supérieur et le bord inférieur vers le centre et lissez les pliures. Faites la même chose en repliant les deux côtés vers le centre, puis lissez les pliures. Ficelez le paquet ainsi obtenu avec un ruban puis fixez-le sur la page avec de la colle ou tout autre adhésif. Pour dévoiler les noms, dénouez le ruban et ouvrez le paquet.

OBJETS SOUVENIRS

En incluant des souvenirs, tels que le déroulement du service religieux, les paroles d'une chanson, des cartes d'invitation et des messages de bonheur, vous soulignez l'importance de l'événement et vous remémorez d'heureux moments.

passage à l'âge adulte

Nos vies sont ponctuées par des traditions et des rituels particuliers. Certains d'entre eux ne se produisant qu'une seule fois – 16e ou 18e anniversaire, bat- ou bar-mitsvah, ou bien remise des diplômes –, il convient de les photographier et de les préserver.

La remise des diplômes, symbole du passage à l'âge adulte, est l'un des événements les plus mémorables d'une vie.

Tout le monde accorde de l'importance aux rituels, et les événements qui ne se produisent qu'une seule fois prennent une place spéciale dans un album de famille.

La remise des diplômes est un moment important pour tout jeune adulte. C'est souvent à ce moment-là que la personne diplômée déborde d'idées, de rêves et de projets. Une liste de souhaits ajoute un pôle d'intérêt sur la page, tout en servant de fond pour les photos ou bien de texte narratif. Il est intéressant aussi de vérifier quelques années plus tard si les aspirations exprimées se sont concrétisées.

Ce jour mémorable peut aussi se teinter de tristesse car la personne va quitter – peut-être définitivement – un groupe d'amis très proches. Présentez ceux-ci selon le motif à l'origine de leur rapprochement : regroupez sur la page les amis de l'équipe d'athlétisme ou ceux de la ligue d'improvisation, etc.

BORDURES ET CADRES

Toques et toges seront de la partie et elles doivent apparaître sur un grand nombre de photos. Pour évoquer l'ambiance de la cérémonie, vous pouvez maintenir les photos en place à l'aide de petits glands et de ficelle de couleur. Vous pouvez aussi coller une bande étroite de gros-grain sur le bord d'une photo, tailler le bout inférieur du ruban en V puis le fixer sur la page à l'aide de cire à cacheter colorée, que vous embosserez avec un tampon indiquant une date, des initiales ou tout autre motif pertinent.

QUEL CHANGEMENT !

Vous pouvez inclure des photos amusantes de la personne diplômée. À côté des quelques photos très élégantes en toque et toge, mettez en parallèle des clichés pris au début des études.

RITUELS RELIGIEUX

Dans le calendrier juif, c'est la bat-mitsvah d'une fille ou la bar-mitsvah

d'un garçon qui marque le passage à l'âge adulte. Pour rendre compte de cette tradition, illustrez les moments forts de la journée – lecture des textes bibliques, allumage des bougies et réception – au moyen d'un collage.

ÉLÉMENTS THÉMATIQUES

Pour donner le ton à la page, dessinez une énorme bougie sur un des côtés ou au centre de la page, et collez une photo de l'enfant au milieu de la flamme ou bien disposez plusieurs images sur le bougeoir. L'ajout d'un extrait de la cérémonie religieuse contribuera à illustrer la signification première de cette journée, surtout si vous y ajoutez une photo de l'enfant en train de lire les textes bibliques à la synagogue.

BORDURES EN RUBAN DE COULEUR

Pour un effet des plus sophistiqués, entourez une photo, ou même plusieurs, avec des rubans de couleur différente.

1 Disposez la photo à sa place sur la page et tracez un rectangle plus grand qu'elle pour former une bordure. Répétez l'opération deux autres fois si vous utilisez trois rubans de couleur différente.

2. Enlevez la photo et appliquez une fine couche de colle d'or (un adhésif spécial, en vente dans les boutiques de loisirs créatifs) sur la bordure.

3 Les dimensions des bouts de ruban doivent correspondre exactement aux bordures et chacun des bouts doit être taillé en quatre morceaux. Veillez à ce que les diagonales s'ajustent parfaitement dans les coins. Lissez le ruban avec vos mains et placez la photo au centre à l'aide de colle ou de ruban adhésif spéciaux.

mariages

De tous les événements spéciaux qui ponctuent une vie, le mariage est l'un des plus importants. Les photos ne manqueront pas, mais il faudrait également y associer différents objets souvenirs afin de se constituer un trésor mémorable.

Si vous avez déjà demandé à des nouveaux mariés ce qu'ils pensaient du jour de leur mariage, ils vous ont sans doute dit que celui-ci avait passé comme un éclair. Sachant qu'un récit détaillé de la journée servira d'archive pour les générations à venir, il faudrait ajouter à la présentation photographique un aspect narratif. Quel a été le moment le plus touchant ? Quel a été le cadeau de mariage le plus apprécié ?

Bien des gens croient qu'il faut absolument présenter les photos professionnelles, prises durant le grand jour, mais des clichés plus anecdotiques, pris sur le vif, tels qu'un marié en train de se préparer ou la mariée en route pour la cérémonie, ajoutent un certain charme et contribuent au récit (voir encadré page ci-contre). S'il est intéressant de témoigner de l'ampleur de l'événement en incluant des photos de groupe, des clichés en gros plan dépeignent

Le fait de concentrer l'attention sur un élément de la journée – par exemple, le bouquet de la mariée – permettra d'animer et d'égayer votre album. Les fleurs étant périssables, il importe d'en posséder une preuve photographique.

l'atmosphère et les menus détails de la journée. Une coiffure élaborée, le bouquet de la mariée, un joli chapeau ou l'alliance au doigt des mariés, tous ces détails illustrent l'essence même de l'événement.

On dit souvent qu'on ne devrait présenter que des clichés parfaits, mais les meilleures photos ne sont pas forcément parfaites d'un point de vue technique. Une photo un peu floue pourrait traduire l'excitation du moment; tenez-en compte au moment de sélectionner vos photos. Ne craignez pas non plus d'inclure des éléments humoristiques : une photo de la mariée

quelque peu ébouriffée en train de rire aux éclats peut très bien résumer tout le plaisir vécu durant cette journée.

RETOUCHER

Donnez à vos clichés modernes une petite touche de romantisme vieillot en colorant vos photos. Appliquez délicatement des peintures à l'huile pour photos sur des épreuves noir et blanc au moyen d'un coton-tige, ou d'un cure-dents dans le cas des petites sections, et vous accentuerez ainsi les détails, comme les fleurs du bouquet de la mariée.

PRÉSENTATION SURPRISE

Témoignez de l'euphorie grandissante grâce à une présentation en accordéon.

1 Sélectionnez quatre ou cinq photos et posez-les par ordre chronologique sur une feuille de papier, en laissant environ 1 cm de chaque côté de chacune des photos.

2 Collez bien les photos sur le papier et laissez sécher.

3 Pliez ensuite au milieu de l'espace laissé entre deux photos, en accordéon, dans un sens puis dans l'autre, et aplatissez la pile ainsi obtenue.

4 Disposez la pile dans votre album et collez la dernière feuille de papier sur la page, en laissant le reste de l'accordéon libre, ce qui vous permettra de l'ouvrir et de dévoiler la série de photos.

CŒURS AU CHAMPAGNE

Il est d'usage de porter un toast au champagne à la santé des mariés. Pour évoquer cette coutume dans votre album, servez-vous de deux liens métalliques entourant le bouchon de champagne et façonnez-les en cœur. Disposez les cœurs côte à côte sur une étiquette, que vous aurez retirée de la bouteille, à la vapeur, ou sur une photo des mariés.

Si ces liens métalliques sont un peu trop épais pour l'album, servez-vous plutôt de fil d'argent fin. Formez deux cœurs délicats ou les initiales des mariés que vous disposerez sur un fond de retailles de papier cadeau ou, comme précédemment, sur les étiquettes prélevées sur les bouteilles de champagne. Vous pouvez aussi inscrire la date du mariage avec du fil d'argent fin, ajouter éventuellement quelques perles en guise de décoration et coller le tout sur la page avec une goutte de colle.

OBJETS SOUVENIRS

Comme dans le cas de toutes les occasions spéciales, gardez de l'espace pour les souvenirs. Le déroulement de la bénédiction, un bout du voile de la mariée, le faire-part paru dans le journal, une enveloppe délicate remplie de confettis constituent de charmants ajouts.

ENCADREMENT

Orner les bords ou les coins des photos les plus éloquentes à l'aide de quelques pétales de fleurs pressées, prélevées sur le bouquet de la mariée ou sur les petits bouquets des demoiselles d'honneur, constitue un moyen simple, quoique romantique, d'encadrer vos photos préférées et ajoute au caractère exceptionnel de l'occasion.

anniversaires

Que les photos montrent des invités dans leurs plus beaux atours ou – ce qui est particulièrement intéressant pour une page d'album souvenir – déguisés, s'il s'agissait d'une fête costumée, elles s'avèrent souvent des éléments propices à la créativité.

Les invitations à un anniversaire sont souvent judicieusement rédigées. Si vous voulez créer une page d'anniversaire thématique, essayez d'accoler à l'invitation générale des découpages des invités costumés. Vous pouvez simplement arranger les photos tout autour de l'invitation ou découper les clichés des invités et faire chevaucher les découpages sur les bords de l'invitation, pour donner l'impression que la fête inonde toute la page.

Si vous avez des photos d'une fête costumée, créez une image « soulevez le rabat ». Cette façon amusante de présenter une photo de fête plaira aux experts dans l'art du camouflage. Découpez le contour du visage de l'invité, en laissant 5 mm non taillés sur un des côtés en guise de charnière, puis collez-y en arrière une photo normale (sans masque, maquillage, fausse barbe ou autre déguisement).

Soulevez simplement le rabat pour voir de qui il s'agit.

FÊTES D'ENFANTS

La réalisation d'une page consacrée à l'anniversaire d'un enfant est une activité à laquelle peuvent participer les tout-petits. Choisissez des formes simples, dont le découpage convient aux petites mains – par exemple, des triangles découpés dans des cartes de souhaits pour imiter des chapeaux de fête – et demandez à vos aides d'enfiler les formes sur un bout de ficelle de couleur. Fixez ensuite les extrémités de la ficelle de chaque côté de la page de façon à former une banderole. Collez sur chacun des triangles une petite photo, soit des invités, soit du gâteau d'anniversaire. Si les triangles ne sont pas collés sur la page, vous pouvez y inscrire à l'endos des noms, des dates ou toute autre information. Ajoutez du papier cadeau, des bouts

SUPPRIMER LES YEUX ROUGES

Un stylo spécial, en vente dans les boutiques de photographie, permet de supprimer les yeux rouges. On peut aussi utiliser un feutre à pointe fine à condition de faire attention à ne pas enlever la lueur blanche présente dans l'œil, sinon le personnage pourrait arborer une expression démoniaque.

de serpentin et des ballons non gonflés pour ajouter à la page couleur et vitalité.

EMPORTE-PIÈCE

Si vous utilisez des emporte-pièce pour confectionner des biscuits destinés à la fête d'enfant, vous pouvez aussi vous en servir pour réaliser des légendes originales. Sur du papier de couleur, tracez le contour de l'emporte-pièce, découpez-le puis ajoutez vos commentaires... ou demandez aux enfants d'ajouter les leurs.

ÉLÉMENTS DÉCORATIFS

Incorporez à votre présentation des étiquettes de champagne dans le cas d'une fête d'adulte. Essayez d'agrandir ou de réduire des objets souvenirs et placez-les tout autour de la page en guise de bordure décorative. Vous pouvez mélanger les formats pour créer des montages artistiques. Juxtaposez un signe du zodiaque et l'horoscope du jour. Si celui-ci est photocopié d'un journal, coloriez l'image monochrome peu inspirante avec de l'aquarelle ou photocopiez-la sur du joli papier de couleur assorti à votre page.

CHIFFRES

Anniversaire signifiant un an de plus, le thème des chiffres est évident. Découpez des chiffres dans de vieilles cartes de souhaits (à l'intérieur ou à l'extérieur de la carte), des journaux ou des magazines. Vous pouvez aussi opter pour des autocollants ou des tampons et dessiner une ou plusieurs rangées du même chiffre dans le plus grand nombre de polices possible. Ce procédé est d'un bel effet en guise de bordure ou d'arrière-plan.

SILHOUETTES

Inspirez-vous de l'époque victorienne et créez un profil de camée, en guise de titre doté d'un charme d'antan et destiné à une page d'anniversaire mémorable.

1 Demandez à votre sujet de se placer de profil devant un mur de couleur claire et unie. Assurez-vous que les contours du visage soient bien définis et, pour ceux qui portent les cheveux longs, coiffez les cheveux en queue de cheval ou en chignon pour accentuer le profil. Prenez une photo.

2 Une fois la photo développée, photocopiez-la et agrandissez-la (au besoin) avant de découper la tête et le cou. Faites attention au nez et à la bouche.

3 Posez l'image sur une feuille de papier de couleur foncée. Tracez-en le contour puis découpez le profil ainsi obtenu.

4 Découpez un ovale dans du carton ou du papier de couleur pastel, fixez-y le profil puis disposez le tout dans votre album.

fêtes spéciales

Les enfants de tous âges attendent avec impatience les fêtes telles que l'Halloween, la Saint-Valentin et les jours fériés. Si ces événements, qui se produisent une fois l'an, ne semblent pas être des moments déterminants dans notre vie, ils ne nous en laissent pas moins le souvenir d'instants précieux, passés en famille.

Présentez une carte de la Saint-Valentin et inscrivez le nom de l'expéditeur ainsi que la date au stylo argent. Vous pouvez aussi découper des silhouettes en forme de cœur ou de Cupidon dans du carton de couleur.

Les enfants occupés à choisir – et à confectionner – leur costume d'Halloween, à fabriquer des cartes pour la Saint-Valentin ou à contempler des feux d'artifice, font souvent l'objet de photographies que vous pouvez inclure dans votre album. Vous pouvez y joindre un tas de motifs et de souvenirs associés à ces traditions.

AGENCEMENTS

En triant vos photos prises lors d'une fête comme l'Halloween, vous remarquerez sans doute qu'elles se prêtent d'elles-mêmes à un agencement chronologique : on sculpte la citrouille, on se déguise, etc. Vous pouvez aussi réaliser un collage haut en couleur illustrant les différentes citrouilles décorées ou les innombrables déguisements. Quelle que soit la présentation choisie, veillez à toujours laisser de l'espace pour de précieux détails qui résumeront la journée : le visage ébahi d'un enfant, le détail d'un déguisement ou un bambin vaincu par le sommeil, mais toujours aussi mignon dans son ravissant costume.

LA SAINT-VALENTIN

Voici l'occasion rêvée d'inclure tout ce qui est en forme de cœur ! Des autocollants ou des découpages en forme de cœur éparpillés généreusement sur la page planteront le décor. Que cette page d'album soit destinée à évoquer une Saint-Valentin particulière ou une attention envers un être aimé, les possibilités sont innombrables. Essayez des façons nouvelles et amusantes de présenter les amoureux : prenez deux cartes à jouer (le roi et la reine de cœur, bien entendu) et personnalisez-les. Utilisez des papiers de couleur et remplacez les visages du roi et de la reine par ceux du couple. Des papiers de bonbon, de couleur et lissés ajouteront du relief à la page, surtout si on les façonne en forme de minuscules cœurs.

DÉCOUPURES DE PHOTOS

Si vous pensez avoir trop de clichés qui se ressemblent ou des photos bizarres qui ne méritent pas d'être présentées, ne les jetez pas. Découpez-y des images intéressantes telles que des citrouilles, des pommes flottant sur l'eau, un visage souriant ou un

déguisement, dans le cas de l'Halloween. Pour la Saint-Valentin, découpez des fleurs, des peluches, des cœurs rouges ou des cadeaux romantiques et disposez-les çà et là sur la page. Si vous avez des clichés flous de feux d'artifice sur un ciel noir, vous pourriez les agrandir et les utiliser comme fond abstrait sur lequel disposer vos photos en gros plan de gens en train de s'amuser.

ENCADREMENT

Grâce à la tradition du porte-à-porte, vos enfants reviendront à la maison très contents et comblés de friandises. Plutôt que de jeter les papiers enveloppant les bonbons, lissez-les et utilisez-les en arrière des photos en guise de montage décoratif. Servez-vous de votre imagination pour agencer la présentation : dans ce cas-ci, les yeux présents sur deux emballages de bonbon rappellent les yeux du chat sur le sac de l'enfant.

CHOCOLATE
FUDGE

LIQUORICE
Soft Caramel

Kirsten avec sa récolte!
Halloween 2003

fêtes religieuses

Des événements annuels comme Pâques, Hanoukka et Noël sont des périodes bien particulières durant lesquelles familles et amis – parfois venus de loin – se réunissent pour fêter. Traditions familiales et repas typiques comptent parmi les moments forts.

Bien souvent, le message inhérent à beaucoup de fêtes religieuses risque d'être perdu au profit de leur aspect commercial; efforcez-vous donc d'inclure des informations associées au sens premier de ces célébrations et au lot de plaisirs qu'elles procurent. Il arrive souvent que Noël ou Pâques soient les seuls moments où la famille voit un cousin, une tante ou des grands-parents. C'est l'occasion alors de rendre cette page spéciale pour vos proches en présentant les photos avec des extraits de chansons ou des explications spécifiques à la fête en question. Ajoutez la photo d'une table somptueuse ou d'un sapin magnifiquement décoré, ou bien des souvenirs comme le programme d'un concert de Noël.

La plupart des fêtes religieuses s'accompagnant de symboles automatiquement reconnaissables, veillez à en inclure au moment de la mise en page. Par exemple, un chandelier pour Hanoukka, l'indispensable œuf de Pâques et une profusion d'éléments religieux et décoratifs pour Noël.

ÉLÉMENTS DÉCORATIFS

Utiliser un papier cadeau comme fond pour toute une page procurera d'emblée une touche festive à votre présentation. Des étiquettes cadeau originales, attachées à une page déjà bien remplie, vous offriront un espace supplémentaire où inscrire dates, noms et anecdotes amusantes. Vous pouvez aussi faire se côtoyer une photo prise lors d'un repas et une recette traditionnelle appréciée de la famille.

DÉCOUPAGES THÉMATIQUES

Dans du papier d'emballage provenant des friandises de Pâques, découpez une famille de canards et éparpillez-les sur la page en guise de décoration. Vous pouvez aussi présenter des photos de famille sous la forme d'un éventail. Découpez trois ou quatre portraits en forme d'œuf et découpez pour chacun

Gâteau de Noël
2 pots de cerises confites
1 pot de zestes d'agrumes mélangés
2 tasses de raisins

Utilisez des recettes, des cartes de souhaits et des photos de repas pour illustrer les thèmes de la journée.

d'eux une couverture de la même grandeur, dans du carton de couleur. Empilez soigneusement les cartons et les portraits, puis fixez-les sur votre page au moyen d'une attache parisienne en laiton, enfoncée dans toute la pile, au sommet de l'œuf. Écartez ensuite les formes de sorte que chaque portrait soit recouvert par son carton. Le lecteur fera pivoter le carton pour dévoiler le portrait.

LE GRAND RASSEMBLEMENT

Si votre famille est dispersée, accordez un espace sur la page où décrire le trajet parcouru par chacun des membres.

En guise de légende pour le texte, découpez des ronds de différentes grandeurs dans du carton fin. Tracez plusieurs zigzags, puis peignez chaque section ainsi délimitée d'une couleur différente. Une fois la peinture sèche, repassez sur les zigzags avec un feutre noir et notez les détails désirés dans la section centrale du rond, avec un stylo métallisé.

ESTAMPAGE

Beaucoup de cartes de Noël ont des surfaces en relief, que ce soit le contour d'un sapin de Noël, une étoile, un père Noël ou un bonhomme de neige.

Vous pouvez vous en servir en guise de tampons décoratifs pour enjoliver votre page d'album. Appliquez une fine couche de peinture à l'eau sur la surface en relief, puis pressez celle-ci fermement sur la page en la faisant un peu osciller pour garantir que toutes ses zones entrent en contact avec le papier. Soulevez-la prestement. Répétez le motif sur le pourtour de la page.

ENCADREMENT

Plutôt que de jeter vos vieilles cartes de Noël, découpez leurs bordures décoratives et employez-les pour encadrer vos photos. Paillettes, bouts de guirlandes, étoiles ou flocons de neige autocollants feront tous de jolies frises. Découpez les vœux rédigés sur les cartes et disposez-les le long de la bordure, ce qui donnera une image d'ensemble d'une fête bien spéciale.

la famille

Même si nous apprécions tous les occasions spéciales, c'est notre façon de vivre au quotidien qui intéressera les générations à venir. Bon nombre de nos plus beaux souvenirs sont liés à notre vie de tous les jours, et les moyens utilisés pour l'évoquer sont divers.

Qu'est-ce qui nous intéresse le plus quand nous regardons de vieilles photos ? Pas les grandes occasions où tout le monde est tiré à quatre épingles, mais plutôt les gens captés dans leur vie ordinaire. Dans un monde en constante transformation, des photos de la parenté prises ne serait-ce que cinquante ans auparavant nous paraissent insolites : automobiles, mobilier, loisirs et habillement, tout nous surprend. Les générations futures ressentiront la même chose quand elles retrouveront des photos illustrant des scènes de la vie quotidienne : un petit-déjeuner en famille, une nouvelle auto ou une scène aussi banale que le papa en train de lire le journal. En incluant des clichés pris sur le vif, vous ajouterez à votre album un élément moins sérieux, qui procurera un contraste appréciable avec les plus guindés.

PATCHWORK SOUVENIR

Réalisez un patchwork de la famille et des amis. Découpez des photos en carrés, triangles ou losanges, puis disposez-les sur une feuille de papier de couleur selon un modèle traditionnel de patchwork. Laissez un petit espace entre deux photos pour entrevoir le fond. Collez ensuite la feuille dans votre album.

ANIMER UNE SCÈNE

Regrouper des photos d'un même sujet est un excellent moyen de rendre la scène plus intéressante. Ayez recours à une suite chronologique de photos d'un même sujet dans le but de traduire l'excitation, le mouvement ou l'humour. Plusieurs clichés d'un enfant qui court dans tous les sens ou qui se déguise avec les vêtements de ses parents donneront vie au personnage et créeront un effet filmique. Vous pouvez aussi présenter la première auto ou une bicyclette fétiche pour rappeler des souvenirs de jeunesse.

Les tâches ordinaires deviennent intéressantes si elles ont été photogra- phiées à une autre époque. Il convient donc d'en présenter des témoignages aux générations futures.

ROMAN-FEUILLETON

Inspirez-vous des mises en page des magazines et faites une présentation semblable à un roman-feuilleton. Cette technique convient à merveille pour dépeindre des activités quotidiennes, telles qu'un week-end typique à la maison. Une fois les photos disposées en ordre, découpez des bulles dans du papier, collez-les à leur place et écrivez le dialogue soit à la main, soit à l'ordinateur.

BANDE DESSINÉE

Vous pouvez créer un effet de bande dessinée en mélangeant des photos. Découpez des portraits des membres de la famille. Observez ensuite les clichés de la vie quotidienne et essayez d'effectuer des substitutions amusantes. Par exemple, mettez le visage de grand-maman sur une photo de papa en short, en train d'arroser le jardin, ou placez la tête du bébé sur une photo de maman occupée à préparer le souper. Réduisez ou agrandissez au besoin des photocopies des clichés pour obtenir un effet « réaliste ».

PHOTOS TRUQUÉES

Vous pouvez aussi réaliser un portrait-robot des membres de la famille. Sélectionnez des photos sur lesquelles le personnage est pris de face et où la tête de tout le monde est de même format ou, encore mieux, les personnages font des grimaces. Découpez d'abord le visage en trois sections égales : la première comprend les yeux et le front, la deuxième, le nez et la troisième, la bouche et le menton. Mélangez les pièces pour recréer une famille tout à fait nouvelle.

AJOUTER UNE DIMENSION

On peut donner vie à des images banales à l'aide d'éléments réels. Une photo de papa plongé dans son journal sera beaucoup plus intéressante si on l'accompagne de l'article dans lequel il est si absorbé. Une photo d'un enfant couché dans son lit se trouvera renforcée par une photocopie d'une page de son livre favori. Le repas du dimanche profitera de l'ajout d'une recette préférée de la famille.

maison et jardin

Nous possédons tous dans nos albums des photos de notre maison, ne serait-ce que comme arrière-plan sur une photo de groupe. Mais pourquoi ne pas consacrer une ou deux pages de notre album de famille au lieu où nous passons le plus clair de notre vie ?

Combien de fois avez-vous rénové votre intérieur ou réalisé un aménagement paysager et n'avez rien eu pour témoigner de votre sentiment de satisfaction ? En captant ces images et le déroulement des opérations, vous aurez une preuve durable de votre dur labeur. Maison et jardin sont le reflet de nos goûts personnels et ils évoquent tout

ce dont votre famille a besoin pour créer un cadre de vie sécuritaire et accueillant.

Lors de la sélection des photos destinées à votre album, accompagnez les vues d'ensemble de détails tels que l'encoignure d'une pièce ou des éléments individuels. Un joli coussin, la plante que vous avez fait pousser à

partir d'une graine, un fauteuil nouvellement recouvert ou un cadeau précieux offert par un être cher, tous ces détails offrent un tableau complet de votre intérieur et des choses qui comptent pour vous.

Outre la maison et le jardin, incluez aussi des personnes ou des animaux sur certaines des photos choisies, sinon la présentation risque de manquer de vie. Présentez des photos sur lesquelles des membres de la famille se reposent ou vaquent à leurs occupations afin de donner un portrait de la maison ou du jardin dans leur usage quotidien. Vous pouvez aussi inclure des photos de vos animaux familiers endormis à leur place préférée.

ACCÉLÉRÉ

Racontez une histoire en regroupant des photos d'un même sujet : les étapes de la construction d'un agrandissement effectué sur la maison, les transformations d'une pièce au fil des ans ou les métamorphoses d'un jardin d'une saison à une autre. Notez où vous vous teniez lors de la première photo et mettez-vous à la même place pour toutes les autres de sorte à rendre les images les plus semblables possible. En plus de servir de lien pour la série

Enfin ma nouvelle salle de bain!

La salle de bain d'origine!

vieux plancher...

plancher refait...

Témoignez de votre inspiration dans vos projets de décoration intérieure en présentant vos pages d'album sous forme de carton d'échantillon de décorateur professionnel, en y incorporant des échantillons de peinture, de tissus et de papiers peints.

de photos, cela fera ressortir les changements qui ont eu lieu.

CARTONS D'ÉCHANTILLON

La planification d'un nouveau décor (intérieur ou extérieur) est sans doute la partie la plus intéressante de la transformation d'une maison ou d'un jardin. Les décorateurs professionnels ont recours à des cartons d'échantillon pour réaliser leurs plans. Ils peuvent y inclure des photos de tout accessoire ou objet qui sera encore présent après la métamorphose, des échantillons de peinture, de tissus ou de papiers peints, et même des objets abstraits, tels que feuilles ou plumes pour créer l'ambiance qu'ils ont en tête. Pourquoi ne pas présenter votre album comme un carton d'échantillon ? Il témoignera de la réflexion qui a conduit au produit fini et il révélera l'intensité des coloris et des textures utilisés, même longtemps après que la pièce aura changé.

DANS LE JARDIN

Attestez de vos heures de dur labeur dans le jardin en encadrant vos photos avec les paquets de graines. Remplacez l'illustration du paquet par des photos de votre jardin de manière que les lecteurs voient vos super tomates ou vos parterres florissants. Vous pouvez aussi ajouter des fleurs pressées. Utilisez des anciens plans ou croquis de jardinage en guise d'arrière-plan et, pour être fidèle au thème, ayez recours à des étiquettes de plantes comme cadres ou bordures ou bien fixez les photos sur la page avec des petits nœuds de ficelle de jardin.

Inscrivez des dates mémorables de succès (« la première tomate ») ou d'échec (« invasion de limaces en 2003 ») sur des étiquettes de plantes que vous collerez sur la page. Réflexions ou commentaires s'avèrent toujours des éléments intéressants à placer sur des petits supports de légende.

DÉCOUPAGES THÉMATIQUES

Découpez des photos du jardin en forme de feuilles ou de fleurs, puis collez-les sur la page en les faisant se chevaucher un peu de sorte à former une fleur. Dans le cas d'une page consacrée à la maison, utilisez des clés, des trous de serrure ou même des découpages en forme de maison miniature sur lesquels vous inscrirez tout commentaire pertinent (par exemple, la date de l'emménagement).

AVANT ET APRÈS

Tout le monde apprécie les métamorphoses. Il convient donc de présenter des photos « avant et après » et, si possible, des images du déroulement des travaux. Vous pouvez les placer par ordre chronologique ou agrandir la photo de la pièce ou du jardin achevés, et y poser les clichés « avant et pendant » pour créer un tout. Fixez les photos avec des petits bouts de ruban adhésif spécial, placés sur les parties des photos qui ne se chevauchent pas.

Jordan prenant son premier bain tout seul... ou comment barboter dans l'évier.

premières fois

Les enfants grandissent à vue d'œil et les premières fois – premier
bain, première dent, premiers pas, premier anniversaire – se succèdent
à vive allure. Capter ces instants dans votre album permet de garder
un souvenir durable d'une enfance qui passe bien trop vite.

Comme le sait tout parent, un enfant vit beaucoup de nouvelles expériences dans le courant d'une seule journée. Ces événements marquants se présentent sous diverses formes : les pleurs de frustration dus à l'apprentissage d'un nouveau geste, les instants rigolos quand l'enfant goûte de nouveaux aliments ou se fait son premier ami et la surprise et le plaisir liés à la découverte de choses totalement inconnues. Tous ces instants ont leur place dans votre album. Vous pouvez opter pour une présentation thématique (nourriture, habillement ou apprentissages) ou chronologique, en regroupant notamment les photos selon les années où ont eu lieu des

« premières fois » importantes. Vous pouvez aussi monter des clichés de ces premières fois sur une vieille toise et coller des étiquettes indiquant l'âge de l'enfant à côté de sa taille.

AJOUTER DES DÉTAILS
Accompagnez les photos traditionnelles de notes personnalisées et humoristiques, notamment des photocopies d'un personnage de bande dessinée favori, des morceaux d'un mobile ou d'un casse-tête fétiche, d'adorables empreintes de main ou un bout de l'inséparable doudou. L'ajout d'extraits du livre d'histoires préféré vous ramènera immédiatement en arrière et vous remémorera de tendres souvenirs.

Ces phrases peuvent être photocopiées du livre ou écrites à la main. Disposez-les autour ou à côté de la photo de l'enfant.

PREMIERS MOTS
Un moyen esthétique d'évoquer le premier mot prononcé par votre enfant consiste à découper les lettres du mot dans un journal et à écrire le mot plusieurs fois en caractères différents sur les deux pages de l'album. Pour rendre compte d'une première expression ou phrase, à l'aide de lettres découpées, placées en biais, vous pouvez épeler une fois les mots-clés. L'une ou l'autre présentation ressemblera à une demande de rançon.

Vous pouvez ajouter la date à laquelle l'enfant a prononcé le mot ou l'expression.

PREMIER JOUET

Pour changer le rythme de la page, vous pouvez attirer l'attention sur un objet particulier, comme le premier jouet préféré, et agrandir une section d'une photo dans le but de souligner l'importance que l'objet a eue pour l'enfant. Vous pouvez agrandir la section de la photo à la photocopieuse et l'imprimer en réglant la luminosité à 20 %. Vous pouvez demander à votre enfant de choisir le détail à agrandir et vous servir de l'image obtenue comme arrière-plan évocateur pour les autres photos.

PREMIÈRE PEINTURE

Cette première œuvre d'art pourrait bien être une grande feuille de papier barbouillée de peinture et de paillettes; elle serait donc trop grande pour l'album. Si tel est le cas, il faut réduire la taille de la peinture. Faites-en une photocopie couleur, puis pliez celle-ci soigneusement et collez-la sur la page de l'album. Vous pourrez ainsi inclure l'œuvre d'art dans votre album sans abîmer l'originale.

PREMIERS PAS

Les premiers pas sont toujours importants. Pour donner l'illusion de mouvement, disposez les photos comme si votre enfant avançait vers l'appareil photo. Et présentez aussi des photos où il tombe ! Vous pouvez aussi ajouter du mouvement à une image en dessinant des empreintes de pas autour de la photo ou en direction d'un coin de la page.

TOISES

Commencez à compiler un album de votre enfant durant sa première année. Photographiez ensuite votre enfant chaque année à la même date et complétez chaque cliché avec la taille, le poids, etc., afin de fournir un compte rendu détaillé. Cet album peut inclure des dates importantes, telles que la première fois où le benjamin a rattrapé la taille de l'aîné ou le jour où l'enfant a mesuré un mètre!

SOUVENIRS ENREGISTRÉS

Tout le monde se souvient quand son enfant a pour la première fois compté jusqu'à dix ou récité l'alphabet. Alors pourquoi ne pas enregistrer ces précieux sons sur vidéo et les transférer sur un CD ? Une fois le CD rangé dans une pochette ou une enveloppe transparentes, vous pouvez y inscrire une date et le poser sur la page. À côté de l'enveloppe, vous pouvez noter les premiers mots et expressions de votre enfant. Écrivez la bonne orthographe à côté de la version phonétique prononcée par l'enfant.

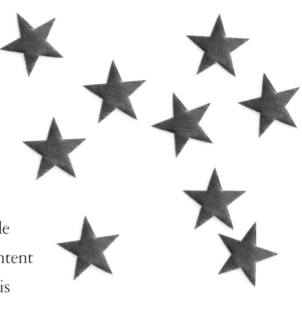

scolarité

Les années d'école comptent parmi les moments les plus importants de la vie d'un enfant... et de celle de ses parents également. Elles représentent une période passionnante dans le développement de votre enfant tandis qu'il apprend sans cesse de nouvelles choses et se fait d'autres amis.

Utilisez des étoiles adhésives ou des autocollants reçus à l'école pour créer un intérêt visuel et une bordure de page colorée.

La scolarité d'un enfant s'étale sur de nombreuses années mais, en général, nous ne captons sur pellicule que les expériences vécues durant les premières années d'apprentissage. Regrouper d'une manière esthétique et cohérente ces photos souvent très hétéroclites risque toutefois d'être laborieux. En gardant en tête que cette page a pour but de faire revivre les souvenirs les plus marquants de la vie à l'école, vous réussirez à réaliser une page originale et attendrissante.

Le fait de disposer et de regrouper les images en fonction de l'âge de l'enfant ou de l'année de scolarité vous guidera dans le temps. L'ajout de souvenirs donnera de la vie aux pages. Insérez des éléments – dessins, dictées, bulletin de notes et bout de tissu provenant d'un premier chandail d'uniforme ou d'équipe sportive – afin de dresser un tableau complet des activités et du cheminement de votre enfant durant sa scolarité.

Vous posséderez sans doute une foule de photos de classe, individuelles ou de groupe, qui feront un excellent support visuel. Vous aurez peut-être aussi des photos prises à l'école par vous-même à l'occasion de pièces de théâtre, d'événements sportifs ou de levées de fonds. N'hésitez pas à juxtaposer aux portraits fixes ces photos vivantes de votre enfant en relation avec les autres élèves, puisqu'elles créeront un contraste agréable et conféreront à la présentation une note de plaisir.

POCHETTES D'ALLUMETTES

Les pochettes d'allumettes offertes dans les hôtels et les restaurants font d'adorables livrets pour des petites photos. Enlevez les allumettes, collez une photo de votre enfant sur le rabat, puis collez une autre photo à l'intérieur de la pochette. Rentrez le rabat dans la pochette; en le soulevant, le lecteur découvrira la seconde photo.

ÉLÉMENTS DÉCORATIFS

Un simple ajout à la page – comme une pluie d'étoiles dorées ou des autocollants reçus à l'école en récompense – rompra la monotonie d'un grand nombre de photos alignées et il attirera l'attention sur la page. Pour

Le ruban d'identification peut servir d'élément décoratif intéressant sur lequel écrire des commentaires.

une petite araignée

une petite araignée
monte sur un balai
la pluie tombe
et l'araignée glisse
le soleil brille
et la pluie sèche
la petite araignée
remonte sur le balai

mon premier jour
d'école, avec mon
nounours bien sûr!

Anna Davies   ma première signature

Super collage d'Anna
École élémentaire Rosebury

Voici ma classe. Madame
bedges est au centre.
Je suis debout entre mes
copines hilary et Louise.

ma maison, 6 ans

une petite note humoristique, vous pouvez inclure des taches d'encre (qui rappelleront les pâtés créés par un stylo plume traditionnel).

ENCADREMENT

En plus d'ajouter une note personnelle, des photos de bricolages et de dictées peuvent servir de cadres pour des photos individuelles ou des groupes d'images. Une bordure simple dessinée autour d'une photo au crayon de cire rappellera le médium utilisé par tous les enfants de la classe. Vous pouvez aussi employer des bouts de ruban destiné à identifier les vêtements (semblables à ceux présentés près de la photo, à la page 48) en guise de cadres pour toute une page ou pour des photos individuelles, procurant ainsi aux lecteurs un souvenir tant tactile que photographique de ces années d'école.

LÉGENDES

Les calendriers scolaires s'avèrent le support idéal pour une narration. Des photocopies des dates importantes servent d'indication pour les photos et permettent de créer une présentation informative. Veillez à joindre les noms de tous les camarades de classe qui apparaissent sur les photos (dans quelques années, votre enfant pourrait bien ne plus s'en souvenir).

COLLAGE CRÉATIF

Un collage haut en couleur constitué de photos et de souvenirs, tels que peintures, dessins, première signature ou simples additions, ajoute un élément artistique essentiel tout en permettant de présenter d'une manière esthétique un grand nombre d'images dénuées de suite logique. La plupart des enfants, fiers de leurs habiletés croissantes, seront ravis de participer à la réalisation de leurs pages « personnelles » dans l'album de famille.

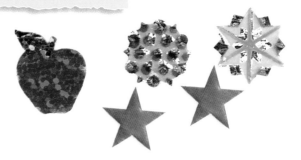

effets spéciaux

Nous ne possédons pas tous une banque importante de photos illustrant toutes les personnes que nous désirons inclure dans notre album. Il nous faut alors trouver des façons originales et spectaculaires de présenter un nombre restreint de clichés.

Sachant qu'on peut réaliser une mise en page vivante et esthétique à partir d'une très petite quantité de photos, ne vous découragez pas si votre collection est réduite. Songez plutôt à une façon de tirer profit de ce que vous avez. Feuilletez des magazines de décoration, qui publient souvent des articles sur la manière de présenter et de disposer un petit nombre de photos. Vous pourrez sans doute adapter ces suggestions à vos pages d'album. Les ouvrages d'art et de design sont aussi une bonne source d'information.

Dans le doute, rappelez-vous que les idées les plus simples sont souvent les meilleures. Pour améliorer une mise en page, montez vos photos sur de grands rectangles de carton décoratif. Les marges blanches ainsi créées augmentent la taille des photos et attirent le regard sur l'image. L'emploi d'un fond de couleur vive ajoutera de la profondeur et de l'intensité à quelques images fanées alors que l'ajout de plusieurs boîtes de texte judicieusement placées et remplies de données et de chiffres importants créera une présentation informative et accrocheuse.

LAMINAGE

Si vous possédez des photos particulièrement délicates, pour éviter qu'elles ne se déchirent, vous pourriez les faire laminer. La plupart des boutiques de photographie offrent ce service.

LÉGENDES

Essayez-vous à l'origami. Beaucoup de modèles simples quoique remarquablement efficaces ne demandent rien de plus qu'un petit carré de papier fin. Y a-t-il meilleur moyen de présenter un nombre restreint de photos qu'en les accompagnant de commentaires amusants, rédigés sur des moulins à vent, des fleurs ou la classique grue ?

Essayez aussi des décalquages par frottement effectués au fusain ou au crayon de cire sur des pièces de monnaie ou des médailles anciennes, ou bien agrandissez le détail d'une photo, comme un chapeau excentrique ou des bottes élégantes.

TRANSFORMATION POP ART

Le pop art s'avère la technique parfaite pour jouer avec une photo unique et donner à un vieux cliché une interprétation pittoresque. Cette présentation, qui affiche un style pop art rappelant celui d'Andy Warhol, se compose de plusieurs photocopies de la même image, colorisées en différentes teintes spectaculaires.

1 Sélectionnez la photo que vous voulez manipuler. Comme on le voit sur l'exemple, la technique donne de bons résultats avec un cliché pris en assez gros plan.

2 Pour transformer l'image, vous pouvez utiliser un ordinateur ou photocopier la photo sur un acétate et colorer grossièrement l'envers de l'acétate avec des peintures acryliques de couleurs vives.

3 Avant de réaliser votre mise en page, observez des reproductions de Warhol. Vous pouvez répéter la même image colorisée sur toute la présentation, comme dans le célèbre portrait de Marilyn Monroe, graduer les couleurs pour créer une progression ou simplement avoir recours à des contrastes marqués, tel qu'illustré ci-contre.

voyages

Nous aimons tous voyager à l'étranger et découvrir d'autres cultures. Une fois de retour dans la routine quotidienne, nous pouvons revivre nos instants de plaisir par le biais de photos de plages exotiques, de randonnées en montagne ou d'escapades citadines.

Les photos jouent un rôle important quand il s'agit de revivre des expériences de vacances et de se remémorer des amitiés tissées loin de chez nous. Malheureusement, nous avons tendance à tellement surcharger l'horaire de ces précieux voyages que de nombreux détails, noms de lieux et événements se perdent dans le temps et nous nous retrouvons avec un tas de photos que nous avons de la difficulté à identifier.

Il importe donc d'inclure sur la page autant d'informations que possible : lieux, dates et anecdotes contribueront à dresser un tableau complet de la région visitée. Choisir une photo en particulier, représentative de votre voyage, et s'en servir comme titre pour votre page attirera l'attention des lecteurs. Disposer les images par thème ou par région créera un rythme naturel. Vous pouvez mettre en valeur des moments ou des lieux spéciaux en les encadrant. Utilisez des marqueurs ou des encres pour réaliser des bordures colorées et choisissez une couleur prédominante dans le groupe – bleu, par exemple, s'il y a beaucoup d'images où l'eau est présente – pour ajouter intérêt et continuité.

MOMENTS RIGOLOS

Pensez à inclure une page de photos comiques, comme celle où vous étiez trempé à la suite d'une pluie d'orage tropical ou celle où on a l'impression que la Tour Eiffel sort de la tête de votre amie. Si vous trouvez une image d'une prison dans un vieux fort ou d'une affiche « Recherché mort ou vif », vous pourriez créer un pastiche moderne. Sélectionnez des photos de vos amis ou de vos proches, réduisez-les ou agrandissez-les à la photocopieuse avant de fixer leur tête sur la carte postale et créer ainsi une scène unique en son genre.

ÉTAPES HISTORIQUES

À moins d'avoir un objectif grand angle, il est parfois difficile de prendre en photo, dans sa totalité, un site historique ou un paysage extraordinaire. Mais on peut tricher. Utilisez plutôt une carte postale à laquelle vous

Billets de banque hauts en couleur et pièces de monnaie originales ajouteront à votre page une ambiance locale.

Disposez vos photos sur les pages d'un vieux passeport ou photocopiez le motif des pages intérieures en guise de support de légende. Les tampons et visas vous rappelleront instantanément les voyages vers des destinations lointaines et dépaysantes.

COLLAGE DE VOYAGE

Pour ajouter de la profondeur à votre page, accompagnez vos photos d'une petite collection de cartes postales, billets, dessous de verre, dépliants et même papiers de bonbons. Arrangez-les d'abord sans les coller, selon l'effet que vous voulez obtenir. Efforcez-vous de saisir l'intention de votre voyage, que ce soit la culture, les paysages, le dépaysement ou l'amusement pur et simple.

ajouterez un découpage de vous-même ou d'un proche. Tenez compte de l'échelle. Imaginez votre enfant debout sur les pyramides de Guizèh, seau et pelle en mains !

ÉVENTAIL DE PHOTOS

Vous avez trop de photos de voyage ? Si vous avez une bande-témoin, le procédé est simple. Sélectionnez votre photo préférée qui vous servira d'arrière-plan. Découpez ensuite la bande-témoin en bandes et fixez tous les morceaux ensemble (à une extrémité) à l'aide d'une attache parisienne. Vous pouvez ensuite étaler les bandes en éventail pour découvrir toutes les photos de vacances. Vous pouvez aussi fabriquer deux éventails et en placer un en haut, à gauche de la photo principale et un en bas, à droite.

TRACER L'ITINÉRAIRE

Présenter une excursion ou un événement particulier le long d'un itinéraire vous rappellera des souvenirs de votre voyage et servira de guide pour les images sur la page. Tracez simplement à main levée le trajet suivi et surlignez les lieux ou places qui correspondent à certaines photos. Ajoutez des légendes, des tickets d'entrée et autres souvenirs collectionnés durant votre excursion.

ÉLÉMENTS DÉCORATIFS

Menus, cartes d'affaires d'hôtels, cartes postales et même tampons de visas ou de passeports permettent de rompre la monotonie des grands étalages de photos tout en constituant à eux seuls des ajouts intéressants. Vous pouvez monter plusieurs photos sur les pages d'un vieux passeport ou photocopier le motif des pages intérieures et vous en servir comme support de légende. Présenter divers billets de banque étrangers ou décalquer par frottement des pièces de monnaie au moyen de fusain ou de crayons de cire ajoutera aussi de l'atmosphère et de l'intérêt à votre album.

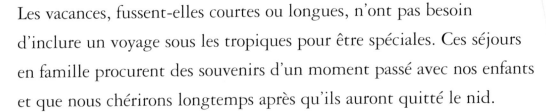

vacances

Les vacances, fussent-elles courtes ou longues, n'ont pas besoin d'inclure un voyage sous les tropiques pour être spéciales. Ces séjours en famille procurent des souvenirs d'un moment passé avec nos enfants et que nous chérirons longtemps après qu'ils auront quitté le nid.

Que ce soit une semaine au bord de la mer, quelques jours dans un parc d'attractions ou un séjour à la campagne, ces moments agréables nous laissent une quantité infinie de photos et de nombreux clichés de visages heureux et tout sourire.

Lors de la sélection des photos, vous aurez sans doute tendance à vous concentrer sur les membres de la famille. Pensez à inclure des clichés de votre lieu d'hébergement, de paysages ou d'attraits particuliers que vous avez photographiés. Cela donnera une idée de l'environnement dans lequel vous étiez et placera vos photos de famille

Dans la présentation de vos vacances, ajoutez des cartes postales car elles amplifient l'atmosphère d'une page.

dans leur contexte. Ils servent aussi de rupture naturelle, car des rangées de portraits placés les uns en dessous des autres vont surcharger la page et produire un effet de lourdeur.

UN EFFORT FAMILIAL

Invitez toute la famille à participer à l'élaboration de ces pages. Demandez à tous de concevoir et rédiger les légendes, de fabriquer ou dessiner des bordures originales autour de leurs photos préférées et de noter pourquoi certaines photos sont plus spéciales à leurs yeux.

La vision qu'a un enfant sur le monde est très différente de la nôtre. Ne rejetez pas les photos floues ou mal centrées, résultat du fait que vous avez accepté que votre fils ou votre petite-fille prenne une photo, comme vous. Juxtaposez-les plutôt à la vision « adulte » de la même scène : par exemple, une photo d'un ami debout sur la plage peut côtoyer la vision de l'enfant qui a photographié du même ami les pieds bronzés dans ses sandales. Ce contraste rigolo et attendrissant contribuera à révéler la substance de ces jours heureux.

MONTAGE

Pour mettre des photos en valeur et créer un intérêt artistique, encadrez les photos à l'aide de souvenirs pertinents, tels que des algues ramassées sur la plage ou des fleurs pressées, cueillies lors d'une promenade dans la campagne. Ayez recours à des objets à la forme intéressante, comme des coquillages, dont vous pouvez tracer le contour pour fabriquer des légendes originales qui refléteront certains aspects significatifs de vos vacances. Regroupez vos sujets par lieu, jour ou thème plutôt que par ordre chronologique : vous pourriez avoir des pages intitulées « Enfants et animaux » ou « Activités d'un jour de pluie ».

LIGNE DU TEMPS

Quand on trie un tas de photos de vacances, il est parfois difficile de les organiser par ordre chronologique. Pour vous aider, dessinez dans le bas de la page une ligne du temps indiquant des dates, près desquelles vous écrirez des commentaires sur les moments mémorables, amusants ou catastrophiques, associés aux photos présentées sur la page.

UN CASSE-TÊTE DE VACANCES

Il est amusant de feuilleter un album souvenir avec les enfants, et le plaisir est encore plus grand si l'on crée des éléments interactifs. Vous pourriez créer un casse-tête avec leurs photos préférées. C'est simple à faire. Agrandissez le cliché choisi à l'aide d'une photocopieuse couleur et collez la photocopie sur un bout de carton fin, découpé aux mêmes dimensions. Avec un crayon à mine, divisez l'image en plusieurs sections de grande taille et de formes différentes – quelques sections seulement pour les tout-petits et davantage pour les enfants plus âgés. Découpez chaque section et effacez toutes les traces de crayon. Rangez les pièces du casse-tête dans une jolie enveloppe que vous fixerez sur la page de votre album.

Avec une photo transformée en casse-tête, vos enfants pourront manipuler leurs photos préférées à leur guise, en pointant ce qui leur plaît, sans craindre de voir vos précieux originaux se couvrir de marques de doigt ou être écornés. Mélangez plusieurs casse-tête de vacances et demandez à vos enfants de les trier.

Un tas de photos superbes sont prises durant les vacances. Accordez à ces moments privilégiés, passés sur la plage ou à la campagne, une place de choix dans votre album.

15 août

Chère Zoé,
Je passe des vacances. Au
on est allés
plage. Je s
dans l'eau
pendant longtemps. Il
faisait très chaud.
Papa nous a acheté une
crème glacée. Elle a
toute fondu sur moi!

Je t'embrasse.
Amy xxx

Procédez avec précaution quand vous recadrez les photos de groupe afin de ne pas couper quelque chose ou quelqu'un !

loisirs

Nous sommes nombreux à combler nos temps libres en nous inscrivant à des clubs ou des associations. En présentant ces activités dans notre album de famille, nous garderons le souvenir des amis rencontrés, des habiletés acquises et des buts atteints.

Pour un certain nombre d'entre nous, le premier club auquel nous avons adhéré était celui des Scouts. Nous y avons appris beaucoup de choses, notamment à faire des nœuds ou allumer un feu de camp, et nous étions fiers de recevoir un insigne en reconnaissance des nouvelles habiletés acquises. De nos jours, les enfants ont un choix plus vaste : clubs d'échecs ou d'informatique, cours de judo ou d'art dramatique, groupes de philatélie ou de lecture. Les activités offertes aux adultes sont encore plus nombreuses et elles s'accompagnent toujours d'un certain objectif à atteindre. Il est intéressant de joindre à vos photos, témoins de votre participation, des souvenirs qui s'y rattachent tels qu'insignes, récompenses et certificats. Si les souvenirs sont trop grands pour loger sur la page, insérez plutôt une photo de ceux-ci.

PHOTOS DE GROUPE

Il est indispensable de présenter des photos de groupe pour évoquer le sentiment d'unité et de camaraderie. Les commentaires sont eux aussi essentiels car votre mémoire risque de faire défaut au fil des ans. Vous pourriez ajouter un détail relatif à chacun des noms, par exemple : « Jean Martin : champion du dressage de tente 2001 ».

RECADRAGE ESTHÉTIQUE

Certaines photos comportent parfois des images indésirables ou des zones sombres. En plaçant sur la photo un cadre épais fabriqué dans du carton ou du papier, vous pourrez cacher les zones non désirées, tout en attirant le regard sur le sujet pertinent. Le fait de juxtaposer joliment vos photos, légèrement en biais, donnera le même résultat et créera un effet de mouvement. Ne vous concentrez pas seulement sur les participants, mais aussi sur les objets présents; des gros plans d'objets produiront un changement d'échelle.

Une photo de la bannière de votre club ou des insignes de votre troupe s'avèrent de parfaits objets souvenirs.

Sur votre page consacrée aux loisirs, incorporez des photos d'activités mémorables ou spéciales qui évoqueront l'ambiance alors présente.

DÉCORER LA PAGE

Créez des bordures décoratives ou insérez des éléments associés à votre loisir. Vous pourriez coller des insignes de scoutisme tout autour de la page ou utiliser la devise du club comme bannière au-dessus de la présentation. Si vous êtes membre d'un club de moto, vous pourriez reproduire certains insignes des marques de moto; dans le cas d'un club d'œnologie, collez quelques étiquettes de vin parmi les plus fameuses. Aux photos d'une troupe de théâtre amateur, joignez un programme ou la distribution de la pièce. Si vous appartenez à un club d'échecs, découpez dans du papier de couleur des silhouettes des pièces du jeu.

Cette page ayant notamment pour but de traduire votre passion pour votre loisir, assurez-vous de créer une impression de dynamisme et de plaisir. Souvenez-vous que des gens feuilletteront cet album dans des dizaines d'années. Vous ne serez plus là pour expliquer chaque photo; ajoutez donc suffisamment d'information pour faire comprendre de quoi il est question.

TRANSFÉRER UNE IMAGE SUR DU TISSU

Pour personnaliser la couverture d'un album consacré aux loisirs, collez-y un morceau de tissu sur lequel a été transférée une de vos photos préférées.

1 Photocopiez la photo et posez-la à l'endroit sur une surface plane.

2 Appliquez une couche généreuse de colle pour transfert (en vente dans les boutiques d'artisanat), de sorte à recouvrir la surface de la photocopie.

3 Placez l'image à l'envers sur le tissu et couvrez-la avec un essuie-tout. Pressez fermement avec un rouleau à pâtisserie. Enlevez l'essuie-tout et laissez l'image sécher jusqu'au lendemain.

4 À l'aide d'une éponge mouillée, retirez le papier de photocopie, en frottant délicatement, pour faire apparaître l'image transférée. Une fois l'image sèche, enduisez-la d'une autre couche de colle pour transfert.

animaux

En général, les animaux domestiques sont des membres très aimés de la famille. Les amoureux des chats ou des chiens risquent même de posséder presque autant de photos de leurs animaux que de leurs enfants.

À côté des photos de vos animaux qui ont disparu, placez leurs médailles d'identification ou tout souvenir de ce qu'ils appréciaient, comme l'étiquette d'une boîte de pâtée ou un petit bout d'une plante du jardin.

La plupart des animaux domestiques ayant une espérance de vie plus courte que celle des humains, au fil des ans, votre vie aura été agrémentée par plus d'un compagnon. Lors de la sélection des photos, demandez-vous si vous souhaitez consacrer une page à chacun de ces animaux ou bien regrouper toutes leurs photos autour d'un thème : photos d'extérieur et de promenade ou photos de détente à la maison. Vous pouvez aussi réaliser un commentaire détaillé décrivant le passage des ans et les animaux qui se sont succédés. Si vous choisissez de présenter sur la même page des photos de plusieurs animaux différents, vous pouvez choisir là aussi un seul sujet ou un montage de divers thèmes. Chevauchement, mosaïque ou collage rehausseront l'effet produit par la page. Rappelez-vous toutefois de laisser de l'espace pour toute information susceptible de fournir une description complète de la vie de votre animal.

GALERIE ANIMALIÈRE

Réalisez une galerie de portraits animaliers. Choisissez un portrait de chacun des animaux et un joli cadre en papier pour chaque photo (vous pouvez découper le cadre vous-même ou l'acheter tout fait dans une papeterie ou une boutique de loisirs créatifs). Sur la photo, découpez la tête et les épaules de l'animal. Disposez ensuite le cadre sur la photo de sorte que les épaules de l'animal soient situées sous le bord inférieur du cadre, sa tête ou son museau chevauchant le bord supérieur du cadre. On aura l'impression que votre animal regarde par le cadre. Ajoutez un ornement de papier sous le cadre indiquant les caractéristiques de l'animal. Cette présentation est amusante, surtout si un hamster ou un lapin côtoient le chien ou le poney de la famille !

DANS LA NICHE

Avec du papier de couleur, fabriquez une rangée de niches miniatures, chacune dotée d'un rabat en guise de porte. Collez une photo de votre chien en arrière du rabat et utilisez une petite boucle de ficelle ou de fil et un bouton minuscule (fixés sur le papier ou le carton, délicatement, avec du fil et une aiguille) pour tenir le rabat fermé.

PHOTOS À LANGUETTE

Les enfants adoreront des photos à languette de leur animal. Sélectionnez une photo prise dans le jardin ou la maison qui illustre un objet de grande taille, comme un arbre ou un canapé, derrière lequel l'animal peut « se cacher ». Prenez une deuxième photo sur laquelle votre animal est plus petit que l'objet de la première photo. Découpez la photo de votre animal et collez une fine bande de carton à l'endos du découpage de manière à créer la forme d'un suçon. À l'aide d'un couteau universel, faites une incision horizontale le long d'un bord du gros objet de la première photo. L'entaille doit être suffisamment large pour laisser sortir la photo de l'animal. Faites passer la bande de carton en arrière de la photo, en la laissant dépasser de la base de la photo couverture. Collez la photo principale dans l'album, en laissant un espace à la base pour la bande, qui ne soit pas suffisamment grand pour que la photo collée au-dessus de la bande puisse passer à travers. Une fois le tout monté, vous pourrez tirer et pousser la bande de carton pour voir apparaître la photo.

OBJETS SOUVENIRS

Observez vos photos et demandez-vous ce que vos animaux apprécient plus particulièrement : un chien qui joue dans un tas de feuilles ou un chat qui se roule dans un massif d'herbe-aux-chats. Montez des souvenirs pertinents, tels qu'une feuille pressée ou de l'herbe-aux-chats séchée, et placez-les près de la photo.

EMPREINTES DE PATTES

En plus de donner du mouvement à la page, l'ajout de quelques empreintes de pattes judicieusement placées procurera un élément artistique intéressant. Ces motifs décoratifs peuvent servir à encadrer un groupe de photos ou être disposés sur la page de l'album à côté d'une série de photos de votre animal en train de courir ou de marcher.

plein air

Les activités de plein air, telles que la course, l'escalade, le deltaplane et le ski, comptent parmi les sujets les plus difficiles à présenter dans un album d'une manière réussie parce qu'elles s'effectuent avec rapidité et se déroulent sur un fond vaste. Voici malgré tout quelques suggestions.

Les activités de plein air sont parfois si rapides et intenses que les occasions de belles photos seront perdues dans une poussée d'adrénaline. Et si vous réussissez à appuyer sur le déclic, les résultats sont souvent décevants. Si vos « photos d'action » ne sont pas concluantes, pourquoi ne pas tricher un peu et vous amuser ? Découpez dans un magazine ou une brochure de sport la photo d'un personnage en train de pratiquer le sport requis et remplacez son visage par celui d'un membre de la famille. Comme par magie, votre père (ou votre grand-mère !) descendra la piste ou les rapides et la photo sera parfaite. Pour une photo de groupe, utilisez une scène découpée dans une brochure de voyage et collez-y les découpages de toute la famille en train de skier ou d'escalader un sommet enneigé.

LES GRANDS ESPACES

Assurez-vous que votre présentation rend justice au paysage dans lequel se déroule l'activité. Si le décor est particulièrement grandiose, comme une montagne enneigée ou un océan azur, vous pouvez agrandir un cliché pris au grand-angle et vous en servir comme arrière-plan pour la page. Quoi que vous fassiez, ne surchargez pas la page puisque vous voulez donner une impression d'immensité. Il se pourrait qu'une seule grande photo soit plus efficace que plusieurs petites (tel qu'illustré ci-contre).

CRÉER UN EFFET 3D

Les scènes de plein air ou d'action prennent réellement vie grâce à un effet 3D. Si vous avez plusieurs photos d'une même scène, vous pouvez créer une impression artistique personnalisée. Découpez le personnage central le plus grand et mettez-le de côté. Découpez ensuite l'arrière-plan en petits morceaux (le ciel, le sol, les montagnes) et collez-les sur la page sous forme de mosaïque. Placez ensuite le personnage central en pleine action, au milieu, en utilisant un bout de mousse autocollante double face, pour donner l'impression que le personnage ressort, comme une image en 3D.

ÉLÉMENTS DÉCORATIFS

Des découpages de pièces d'équipement sportif, tels que clubs de golf, ballon de soccer, raquette de tennis, etc., disposés çà et là sur la page peuvent servir de bordures ou, s'ils sont agrandis, peuvent même faire office d'arrière-plan à votre présentation visuelle.

UN PEU DE CRÉATIVITÉ

Une photo très puissante, dépourvue de détails gênants, est tout indiquée pour réaliser une mosaïque. Photocopiez et agrandissez l'épreuve originale, puis découpez la photocopie en carrés égaux que vous assemblerez sur la page, en laissant un petit espace entre chacun. Cette technique convient particulièrement aux photos de sport car elle confère à l'image fixe une sensation de mouvement.

index

A

Accéléré 44-45

Accessoires de coupe 8

Accordéons 35

Adhésifs spéciaux 8

Animaux 58-59

Anniversaires 36-37

Arbres généalogiques 22-25

Autocollants 9

B

Bandes dessinées 43

Bordures 10, 21, 32, 33

C

Cadres en napperon de papier 31

Cadres ordinaires 10

Calquer des images 11

Carton d'échantillon 45

Cartons 9

Cartons de montage 13

Cartons de montage cousus 15

Casse-tête 55

Chiffres 37

Cœurs au champagne 35

Coins photo 10, 11

Collages 49, 53

Colles ordinaires 9

Coloration 17

Contrastes 14-15, 42, 48, 54

Couleur 13, 15, 28, 29

Couleur sépia 16, 29

D

Décalquage par frottement 11

Découpages 17, 21, 38, 45, 52, 59, 60

E

Effets 3D 60

Éléments décoratifs 23, 37, 40, 48-49, 53, 57, 60

Éléments thématiques 33

Embossage 29

Emporte-pièce 37

Empreintes de pattes 59

Encadrement 13, 15, 31, 35, 38, 41, 49

Éventails 53

F

Fêtes religieuses 33, 40-41

Fêtes spéciales 38-39

G

Gabarits 11

Galeries de portraits 58

Généalogie 22-23, 26-27

H

Halloween 38-39

Hanoukka 40

I

Internet 22-23, 26-27

J

Jardin 44-45

L

Laminage 50

Légendes 49, 50

Ligne du temps 54

Loisirs 56-57

M

Maison 44-45

Mariages 34-35

Matériel 8-9

Mise en scène 17

Mises en page 12-13, 23, 36, 40, 48, 49, 50, 60

Modèle d'arbre 24-25

Montage 13, 18, 21, 32, 54

Mosaïque 60-61

N

Naissances 28-29

Narration 13

Niches 58-59

Noël 40, 41

Nommer un bébé 30-31

O

Objets souvenirs 11, 16, 19, 21, 28, 29, 31, 35, 43, 45, 46, 48, 49, 53, 54, 56, 59

Ordinateurs 8, 19

P

Papiers 9

Pâques 40-41

Passage à l'âge adulte 32-33

Patchwork souvenir 42

Peintures 9

Photocopieuse 9

Photos à languette 59

Photos « avant et après » 45

Photos noir et blanc 16-17, 28

Photos panoramiques 55

Photos truquées 43

Pinceaux 8

Plein air 60-61

Pochoirs 9, 11

Portrait d'un ancêtre 20-21

Premières fois 46-47

R

Recadrage 8, 38, 56-57

Règle en métal 9

Remise des diplômes 32

Réparer 18-19

Retoucher 35

Roman-feuilleton 43

Rouleaux de peinture 9

S

Saint-Valentin 38

Scolarité 48-49

Silhouettes 37

Souvenirs enregistrés 47

Stylos 9

Supprimer les yeux rouges 36

T

Tampons 9, 41

Techniques 10-11

Techniques de découpage 10

Thèmes 12, 36, 37, 45, 46, 54

Tissu 21, 31, 45, 48, 57

Toises 47

Transfert sur tissu 57

Transformation pop art 50-51

V

Vacances 52-55

Vie de famille 42-43

remerciements

L'auteure tient à remercier Lizzie Orme pour ses conseils en matière de techniques photographiques, yeux rouges, etc.

L'éditeur aimerait remercier tous ceux qui ont collaboré à cet ouvrage en prêtant leurs magnifiques photos ainsi que d'autres menus objets : Sophie Collins, James et Olivia Coulling, Viv Croot, Anna Davies, Caroline Earle, Chris French, John Grain, Joy Harnett, Ivan Hissey, Sarah Howerd, Anna Hunter-Downing, Tonwen Jones, la famille Lanaways, Steve Luck, Andrew Milne, Martyn Oliver, Dominic et Kate Saraceno, Tony Seddon et Michael Whitehead.